历代名家碑帖

汉·名家碑帖

姜克戈 主编

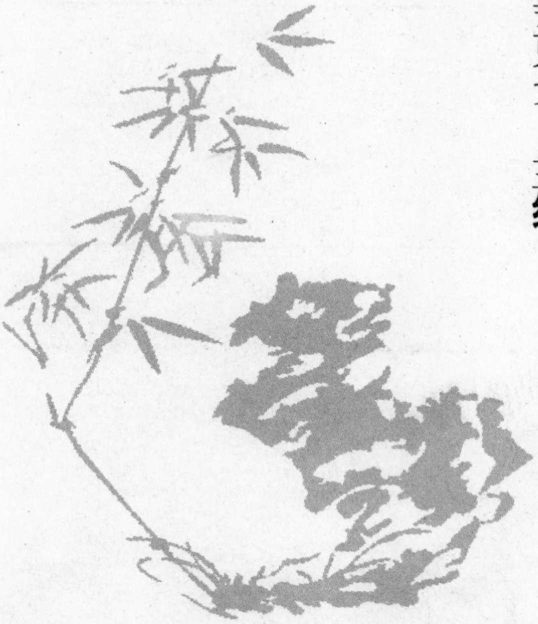

北京燕山出版社

目录

漢禮器碑

惟 年
青龍在涒歎
霜月之靈皇

極之日魯相
河南京韓君
追惟大古華

汉·名家碑帖

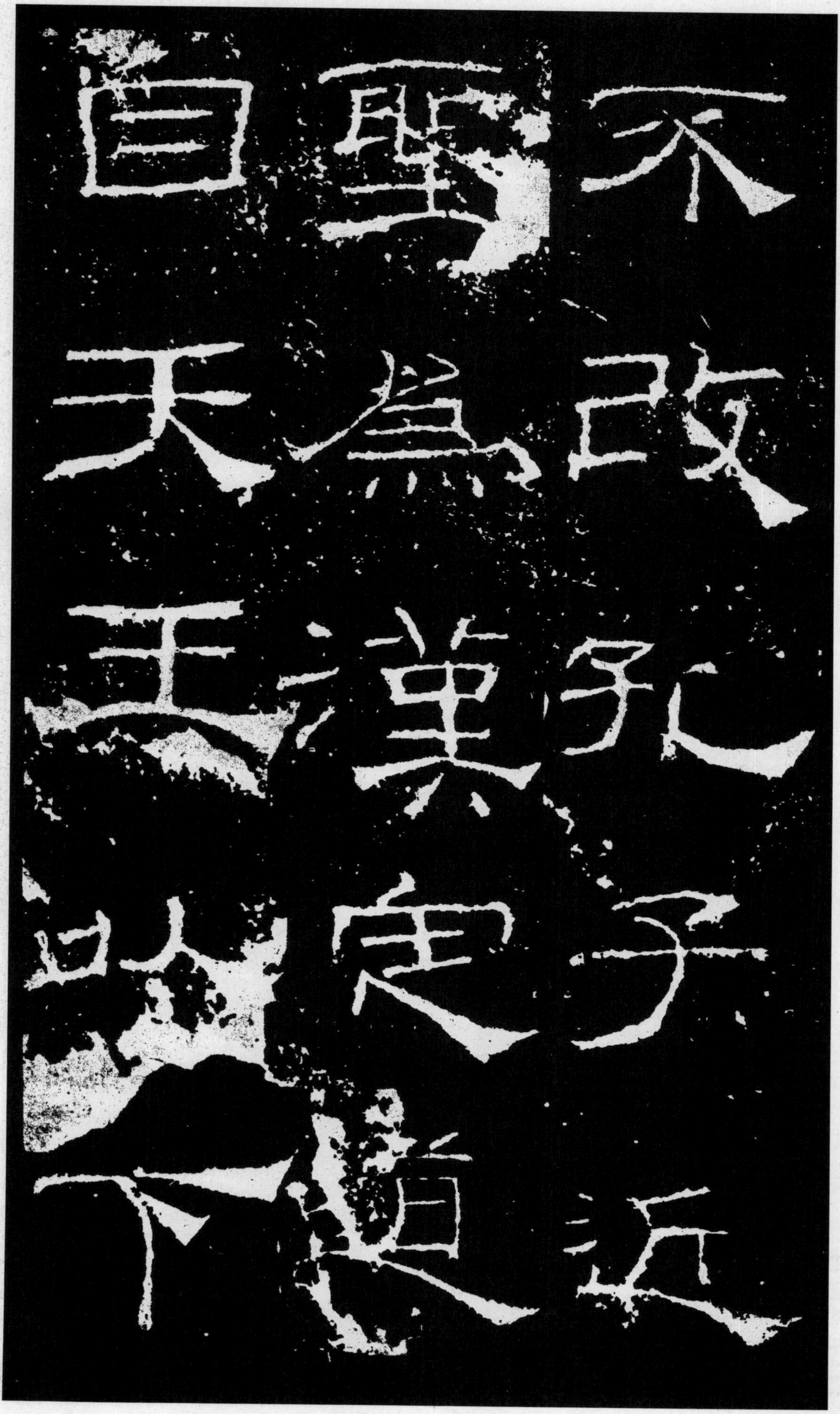
不改孔子近
聖為漢定道
自天王以下

至于初學莫
不驤思歎仰
師鏡顏氏聖

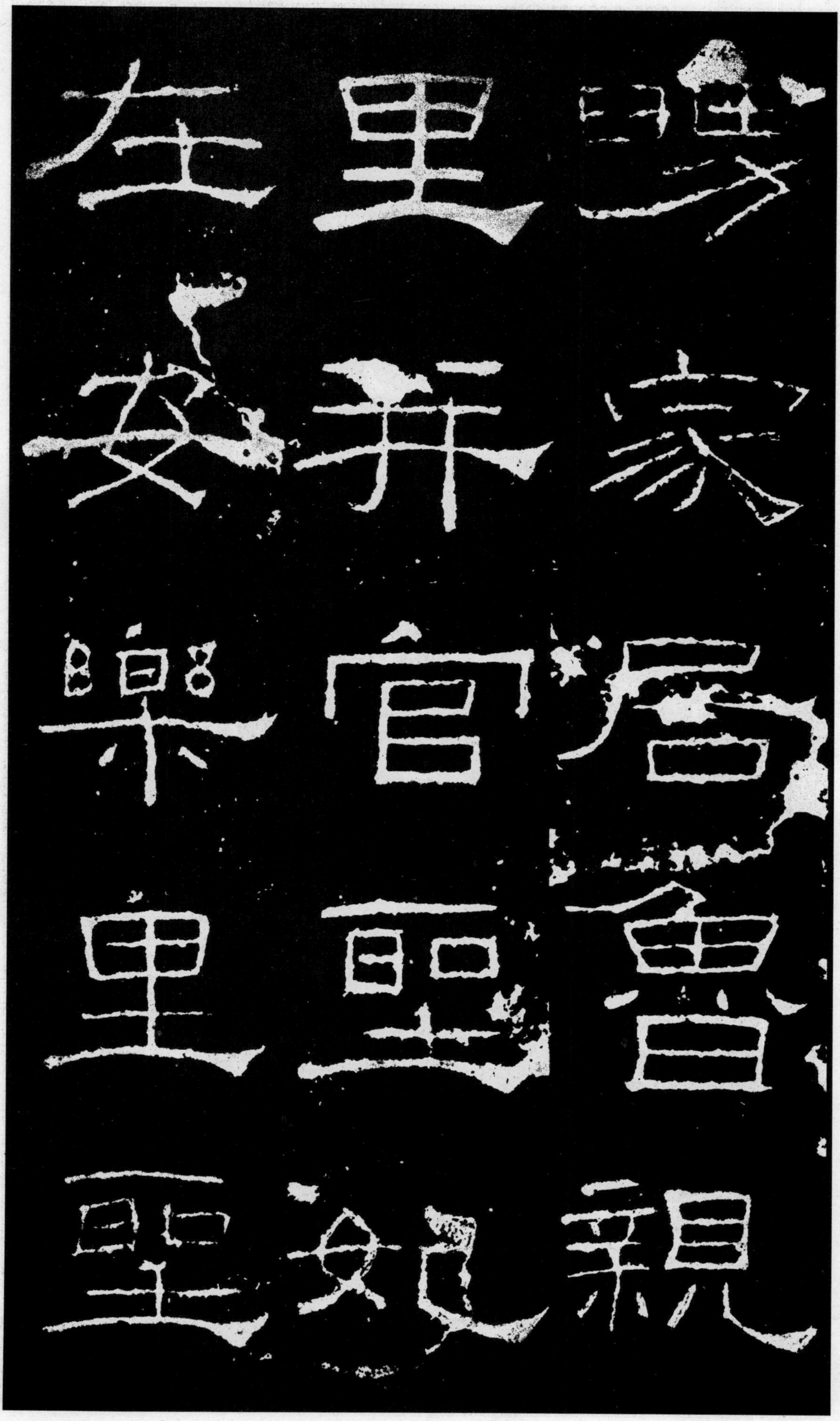
舅家居魯親
里并官聖妃
在安樂里聖

族之親禮所
宜異復顏氏
并官氏邑中

縣夏以酉元

伏念聖盧世

禮樂陵遲秦

亨伯亂家專
圖書信道畔
德體敗聖與

音苻鍾磬瑟鼓雷洗觴觚爵鹿柤梪籩

宅廟更作二
輿朝車威熹

宣抒玄汙以
注水流法舊
不煩備而不

汉·名家碑帖

春上合氣臺
積之布和[illegible]
會聖年事得

禮儀於是四方士仁聞君風燿敬咏其

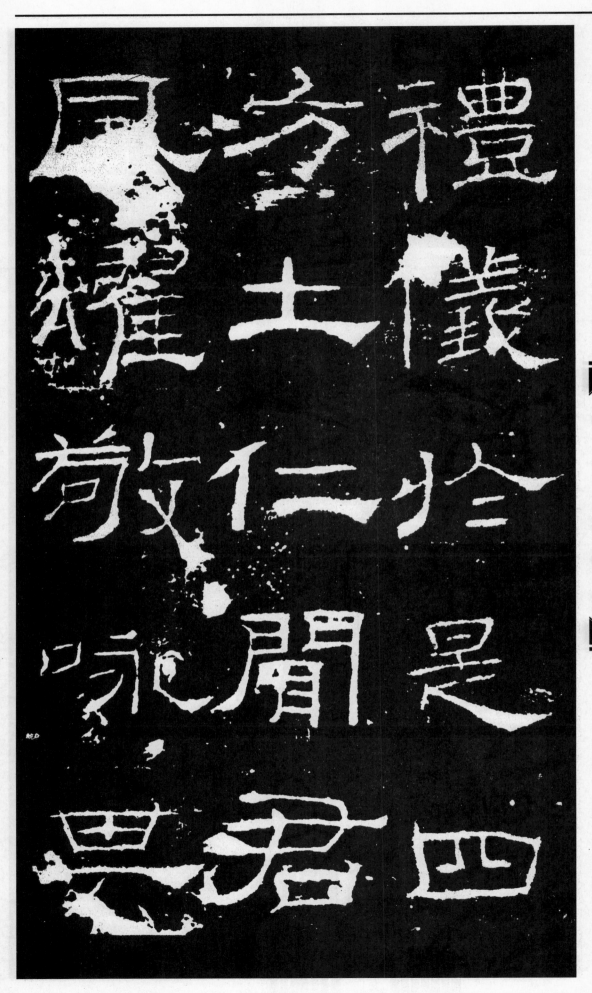

石紀傳億載

其文曰

皇[illegible]元年是

宮大可亦攬
前闓九頭以
升言教後

元以來三九
之載八皇三
代至孔乃備

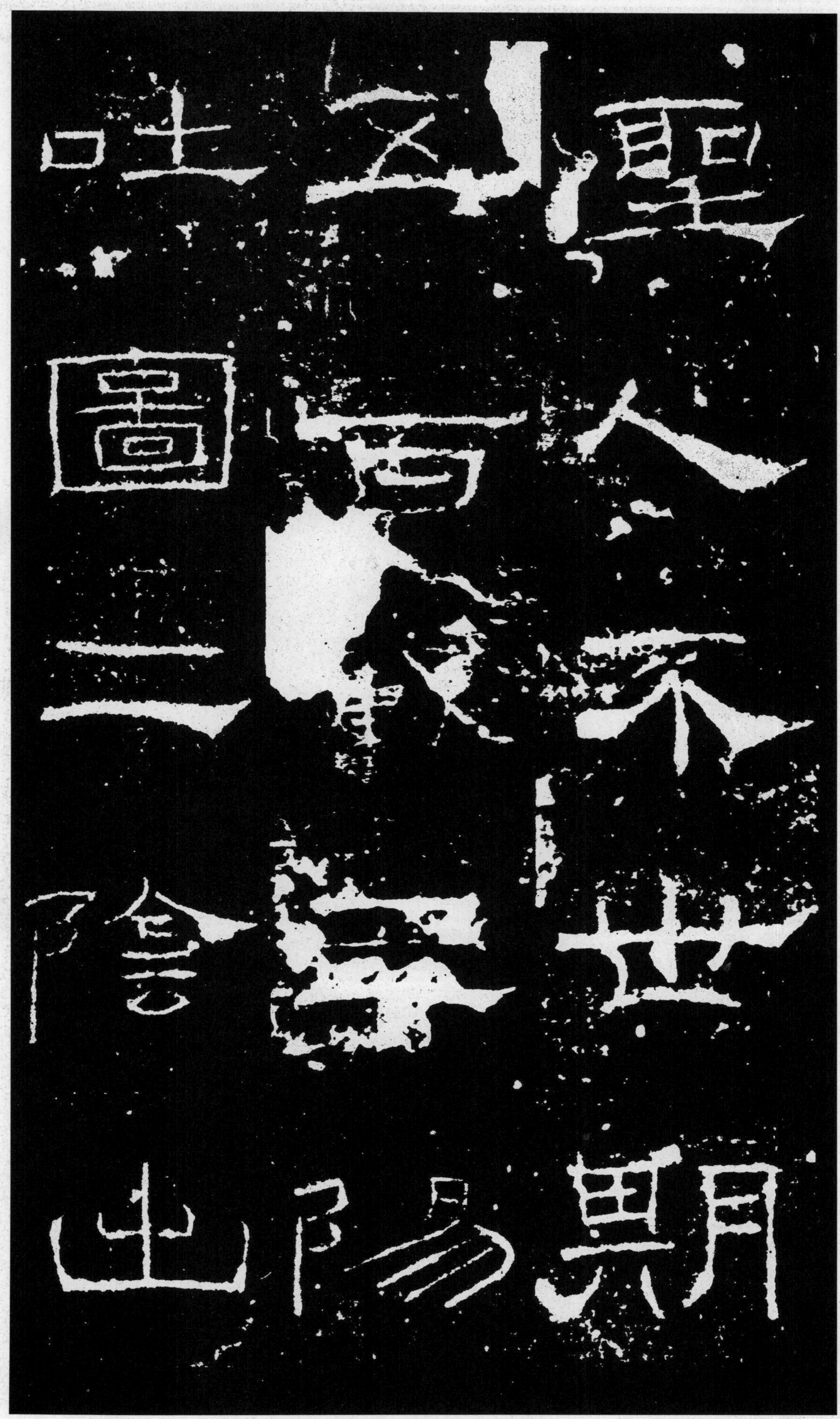
聖人不世期

讖制作之義
以俟知奧於
穆韓君獨見

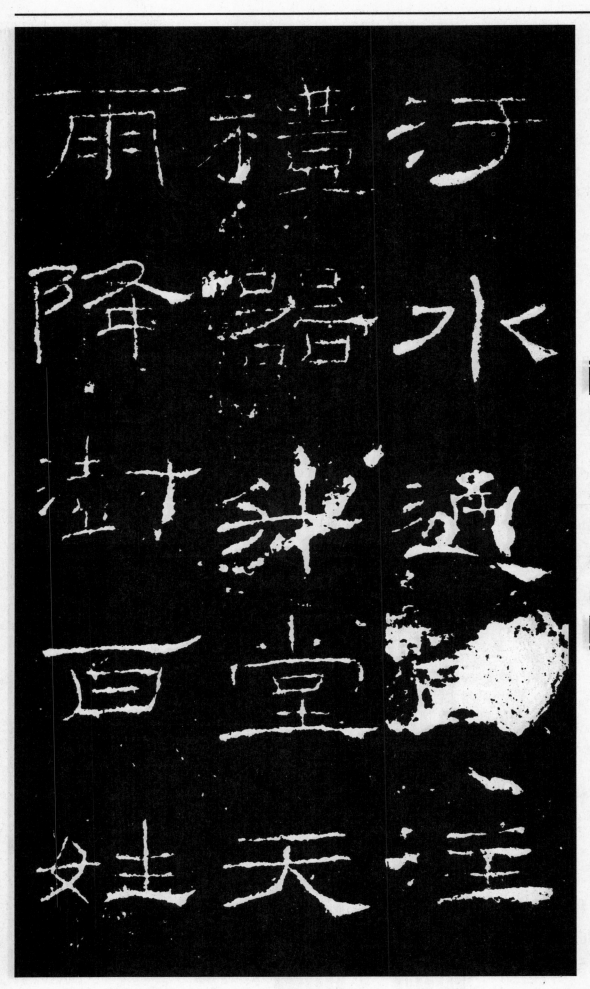

于水通[illegible]注

積器并堂天

而降法十百姓

历代名家碑帖

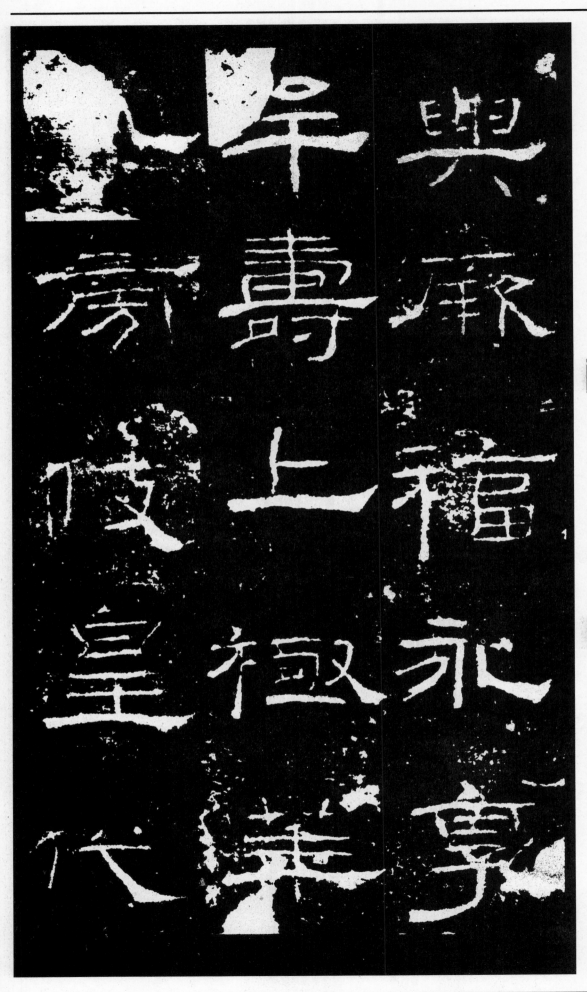

興康福永享

牟壽上極華

紫旁伎皇代

振赫赫罔窮
聲垂億載
韓明府名勑

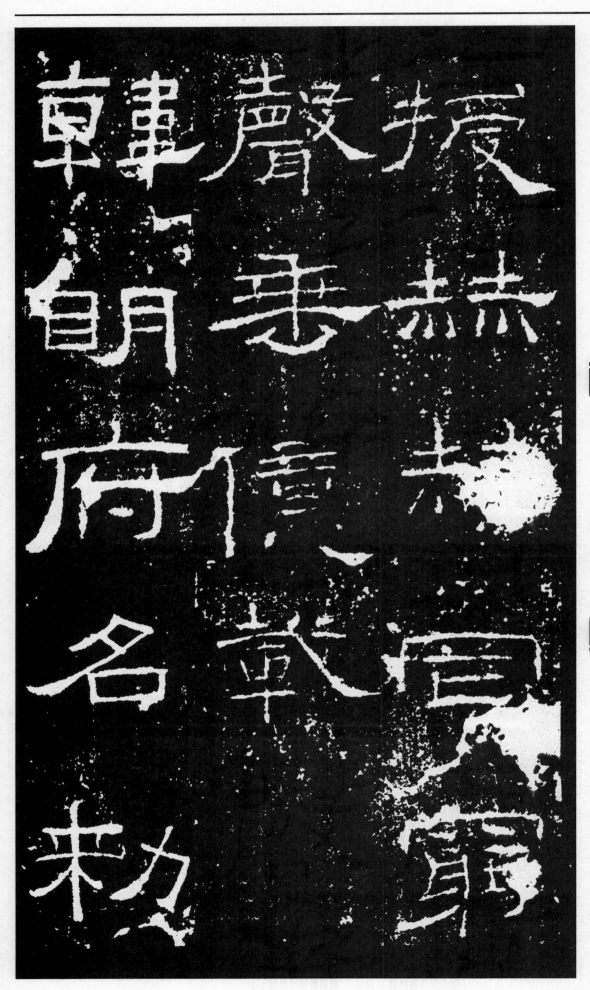

字符節潁

[illegible]長社王玄

君真二百

河東大陽西
甬隃先節二
百該家郡
古君

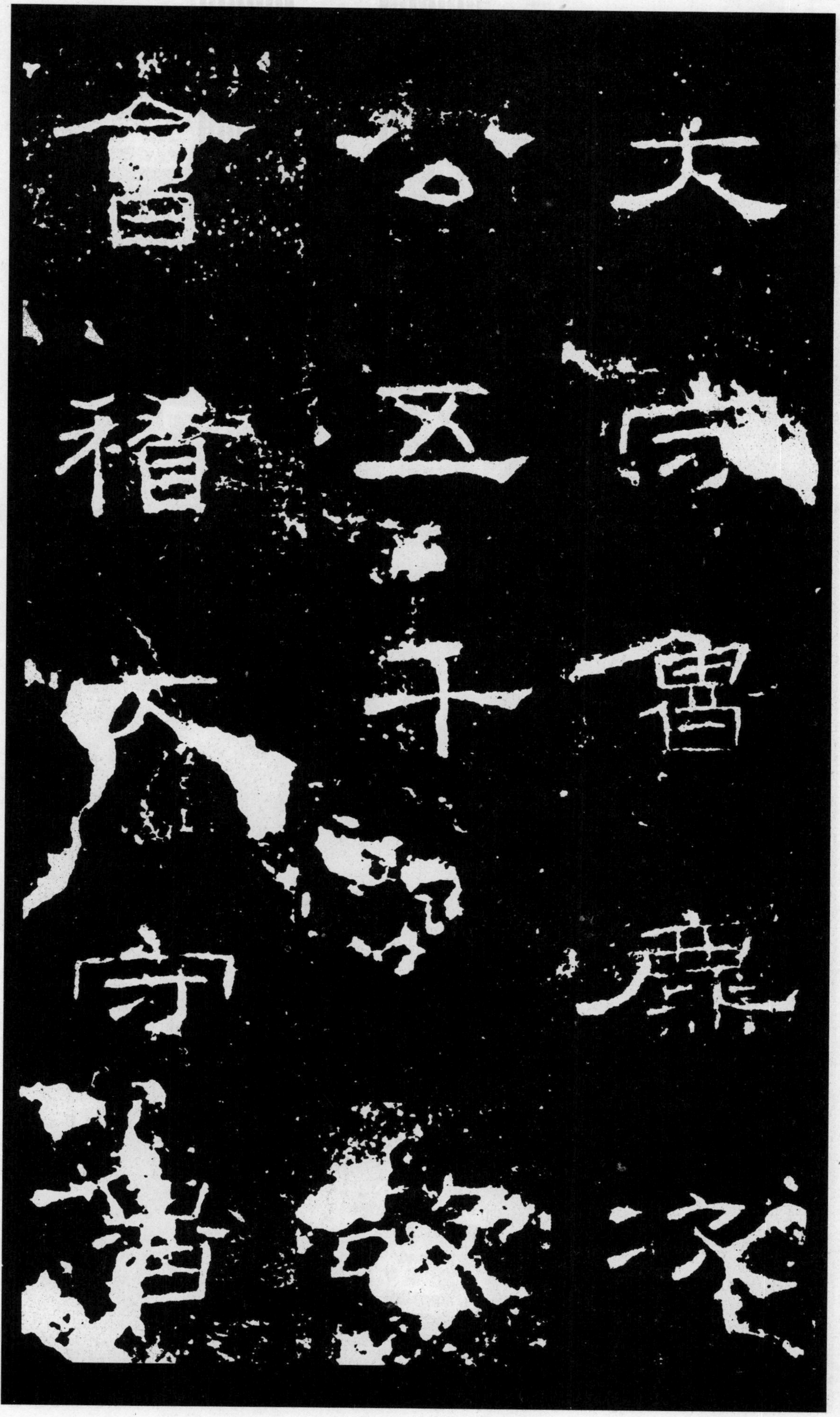

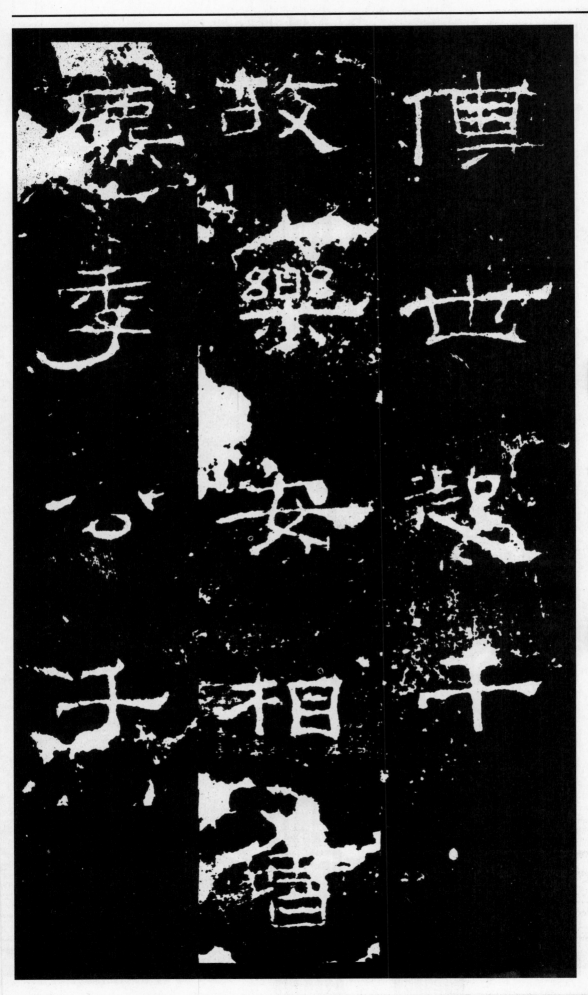

傳世起千

故樂安相會

[illegible]孝心子

汉·名家碑帖

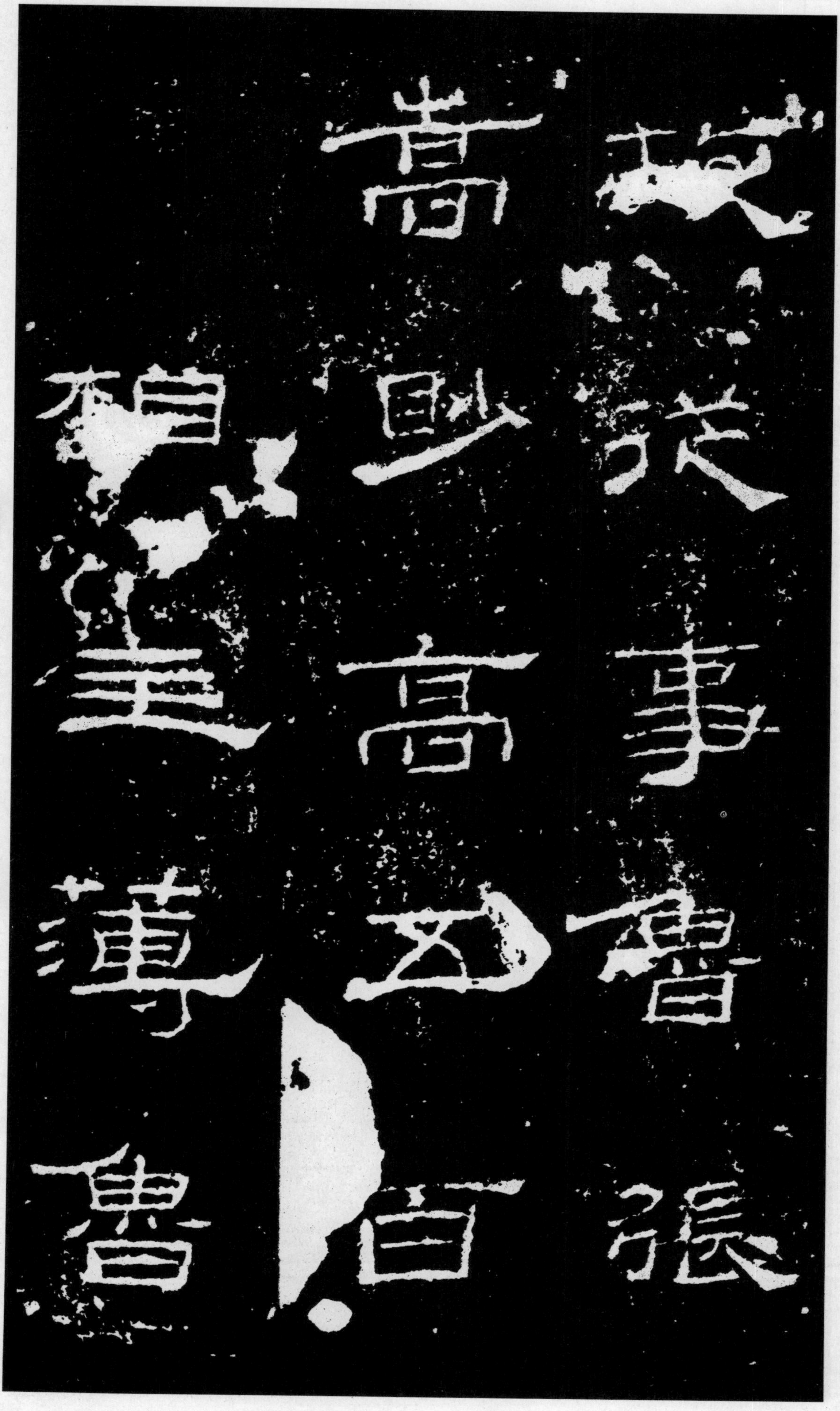
從事曹張
嵩劉高五百
皇薄曹

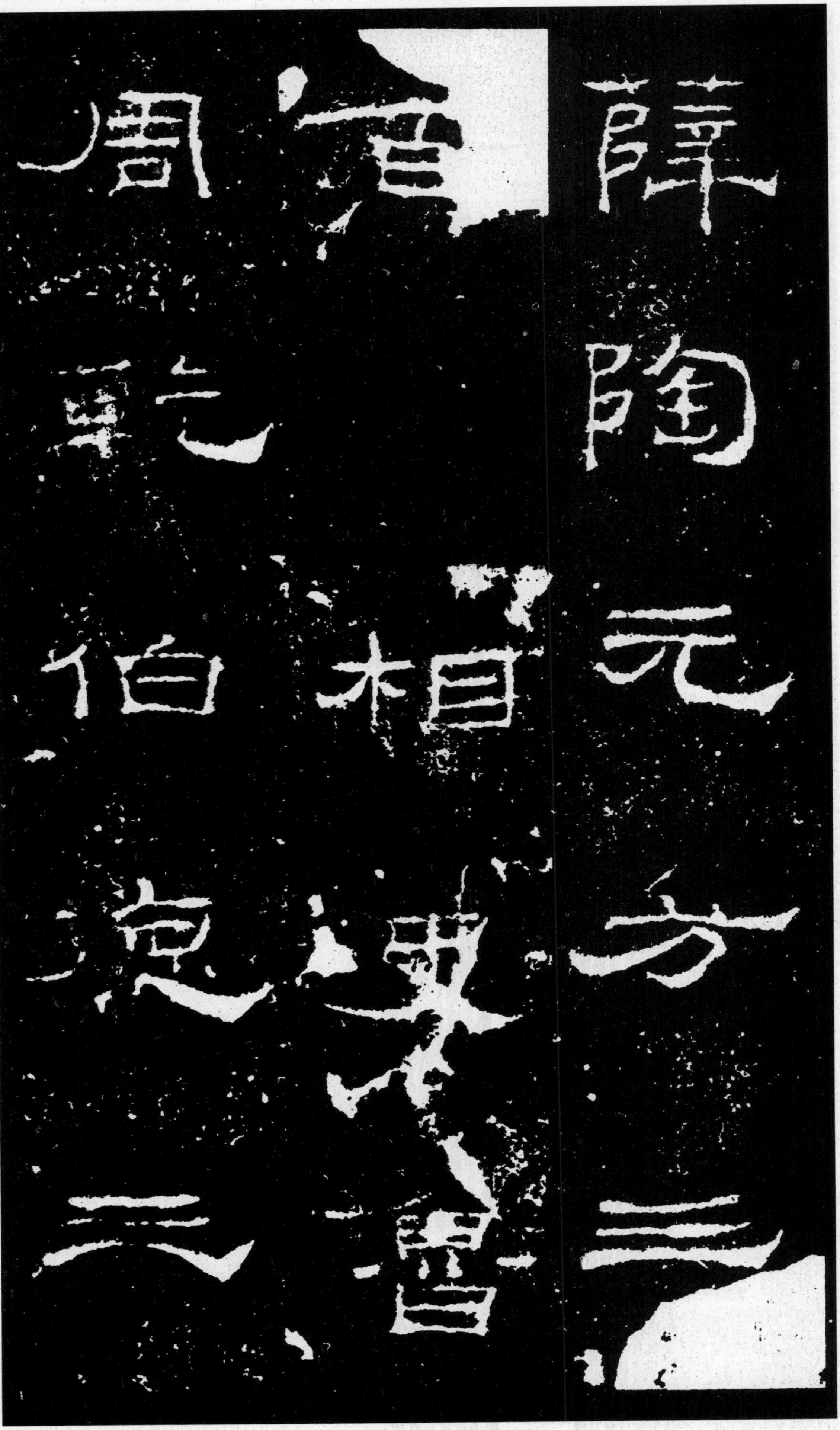
薛陶元方三
相
周乾伯德三

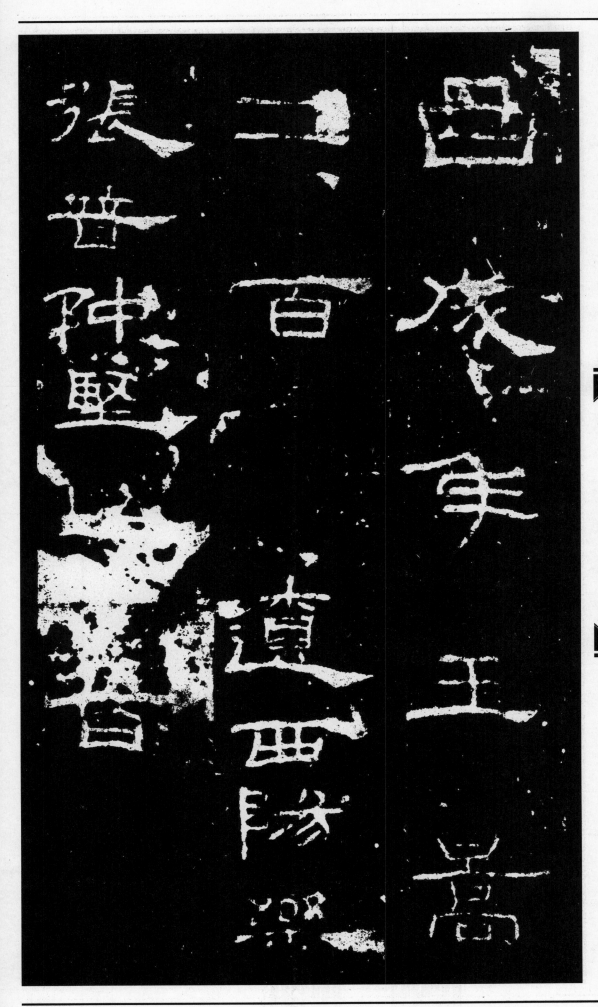

四冬年王高

三百遺西陽翠

張晉陟中監

晉

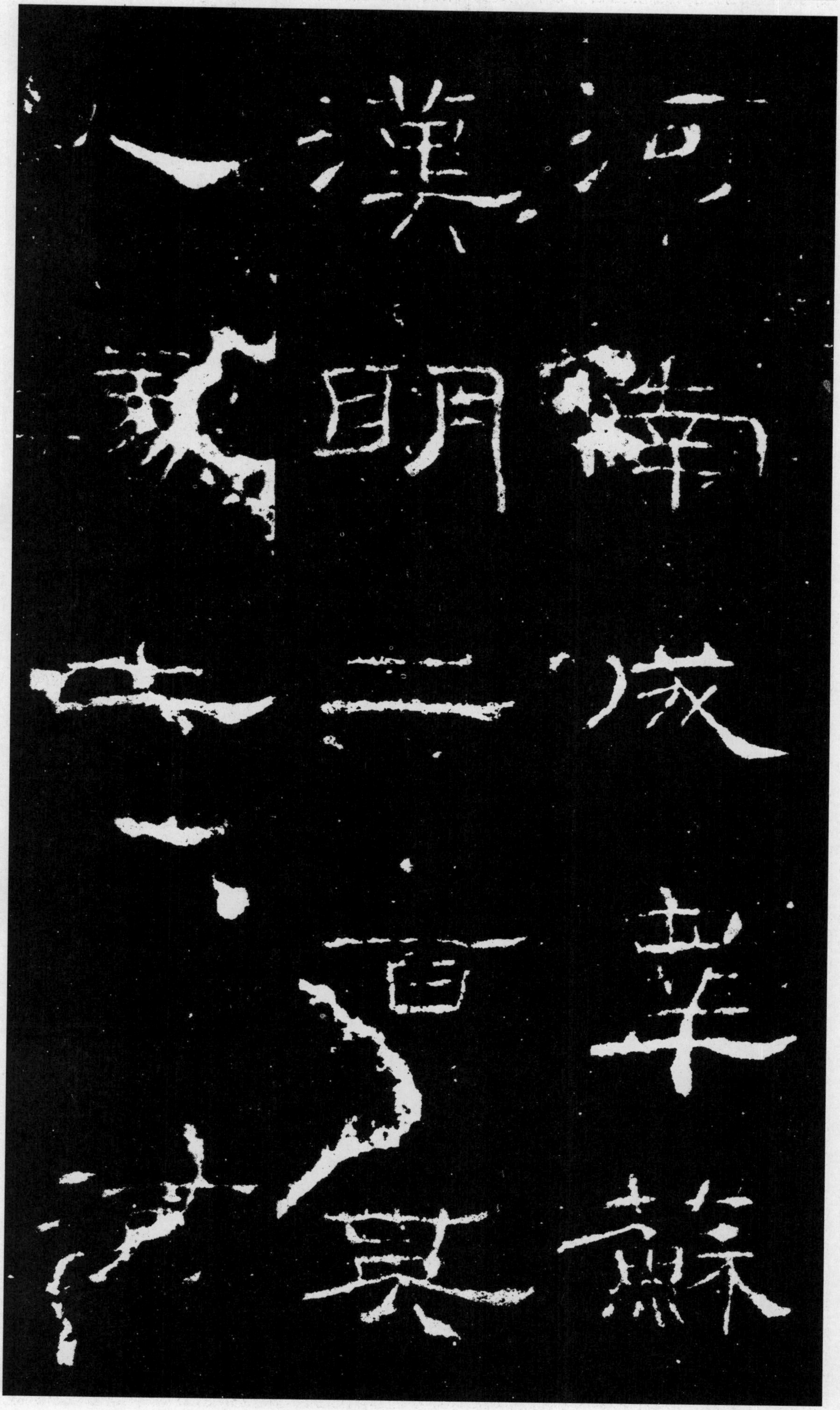

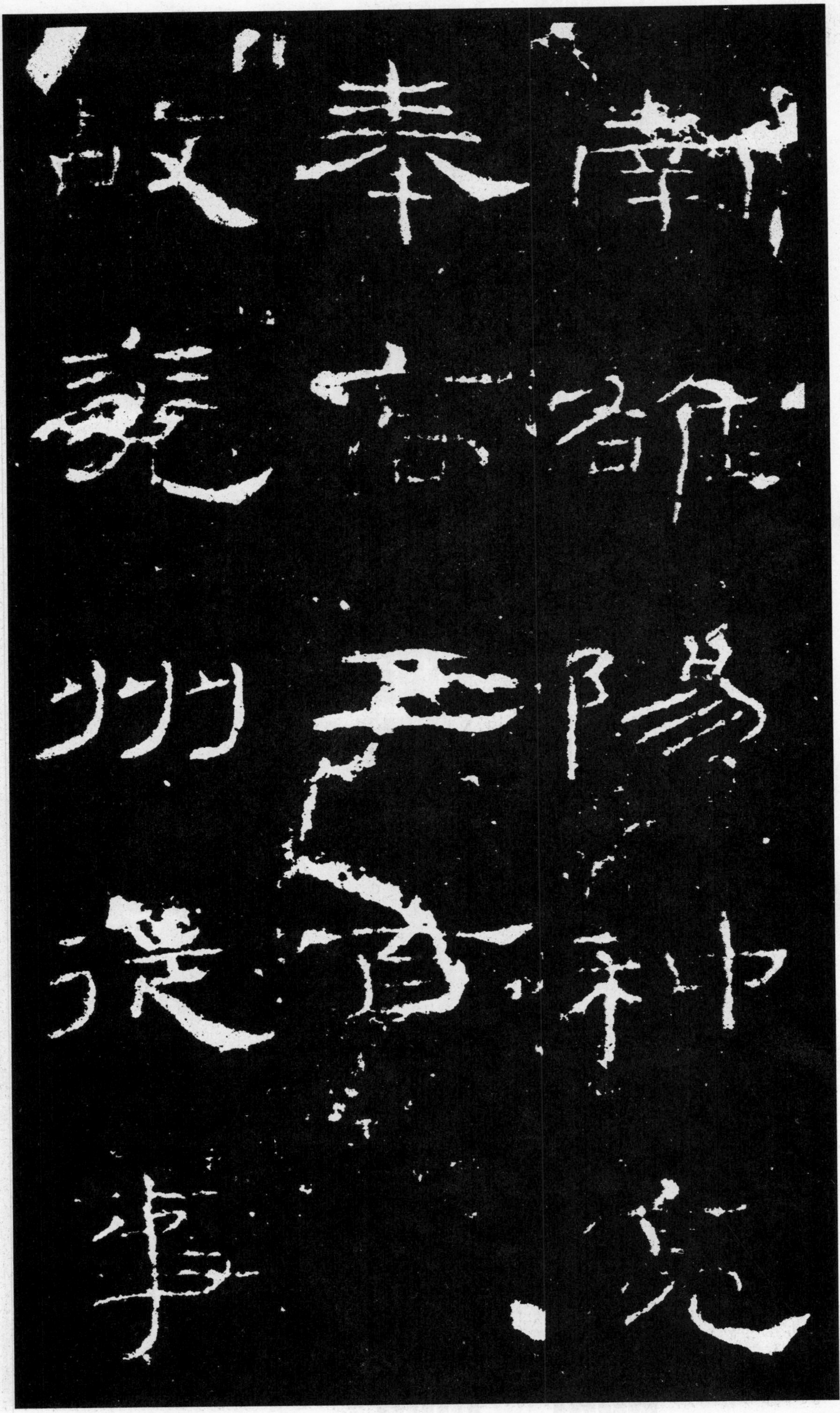

任城呂育季
華三千故
下邳令東平

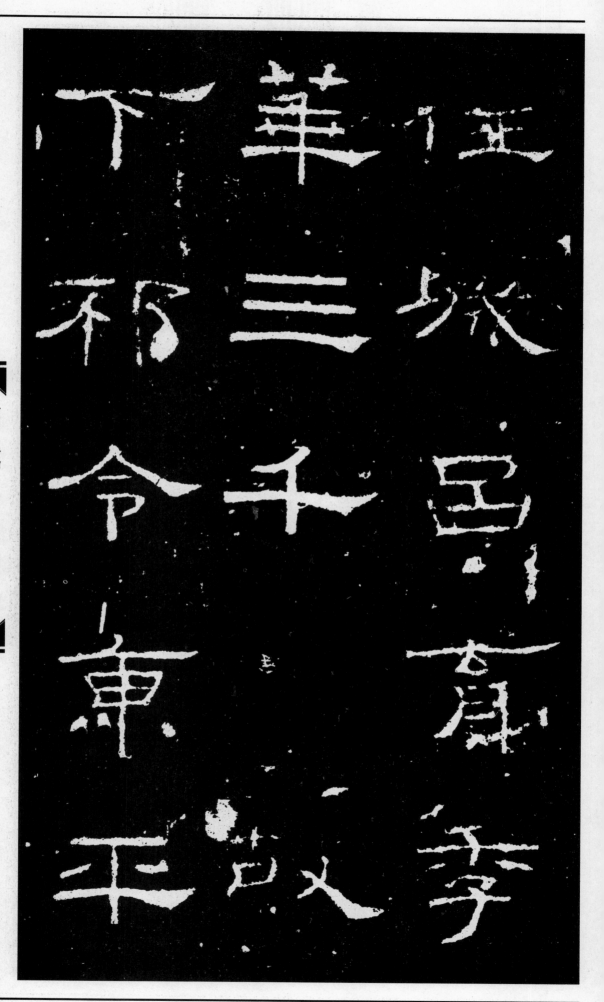

陸王表文博
千親陽
令文陽鮑官

元發千河
南雒陽李申
伯百趙國

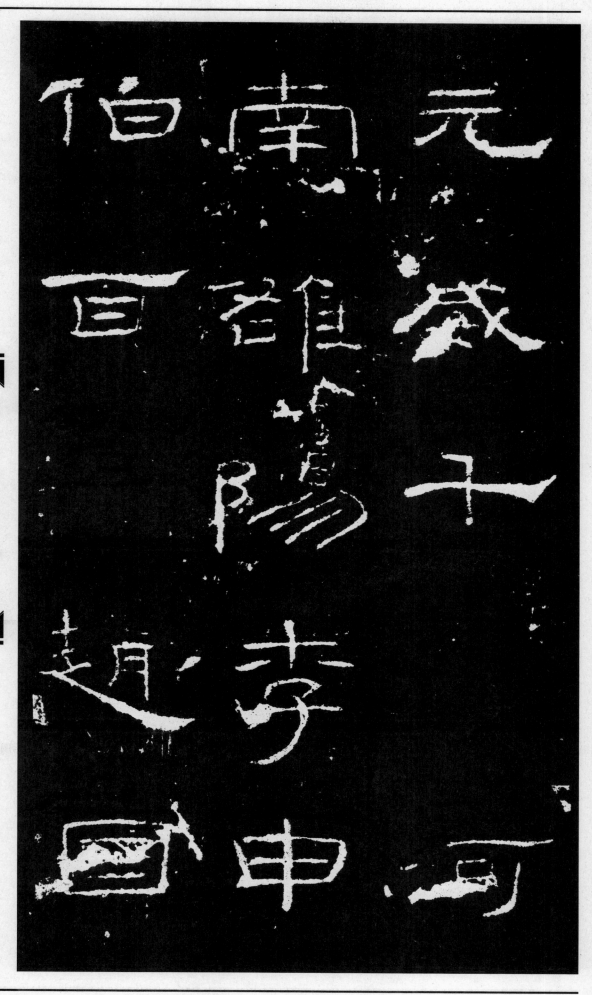

邯鄲宋瑨元

世二百[illegible]彭

城廣戚姜尋

光長二百
平原樂陵朱
恭敬公二百

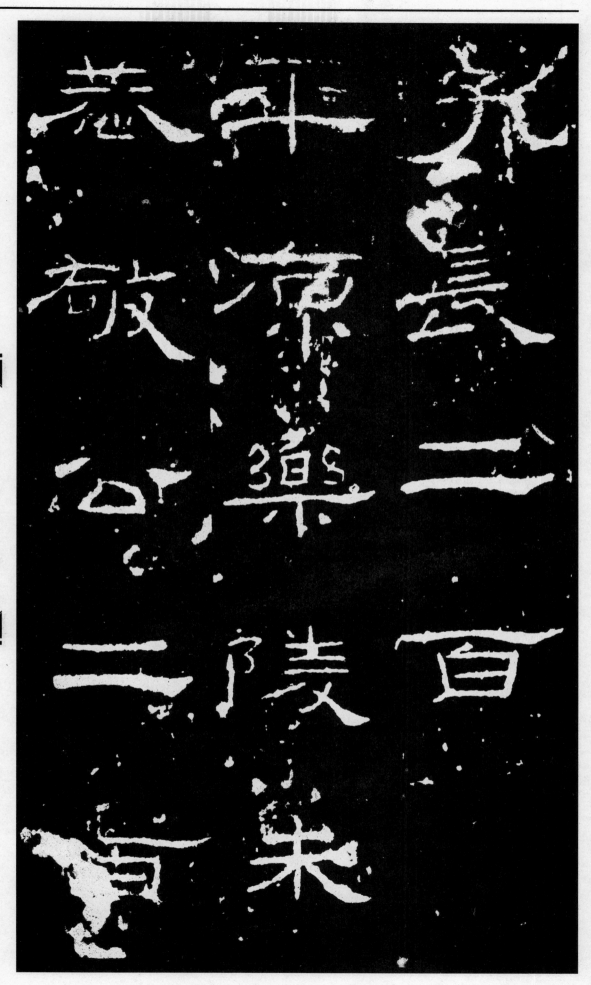

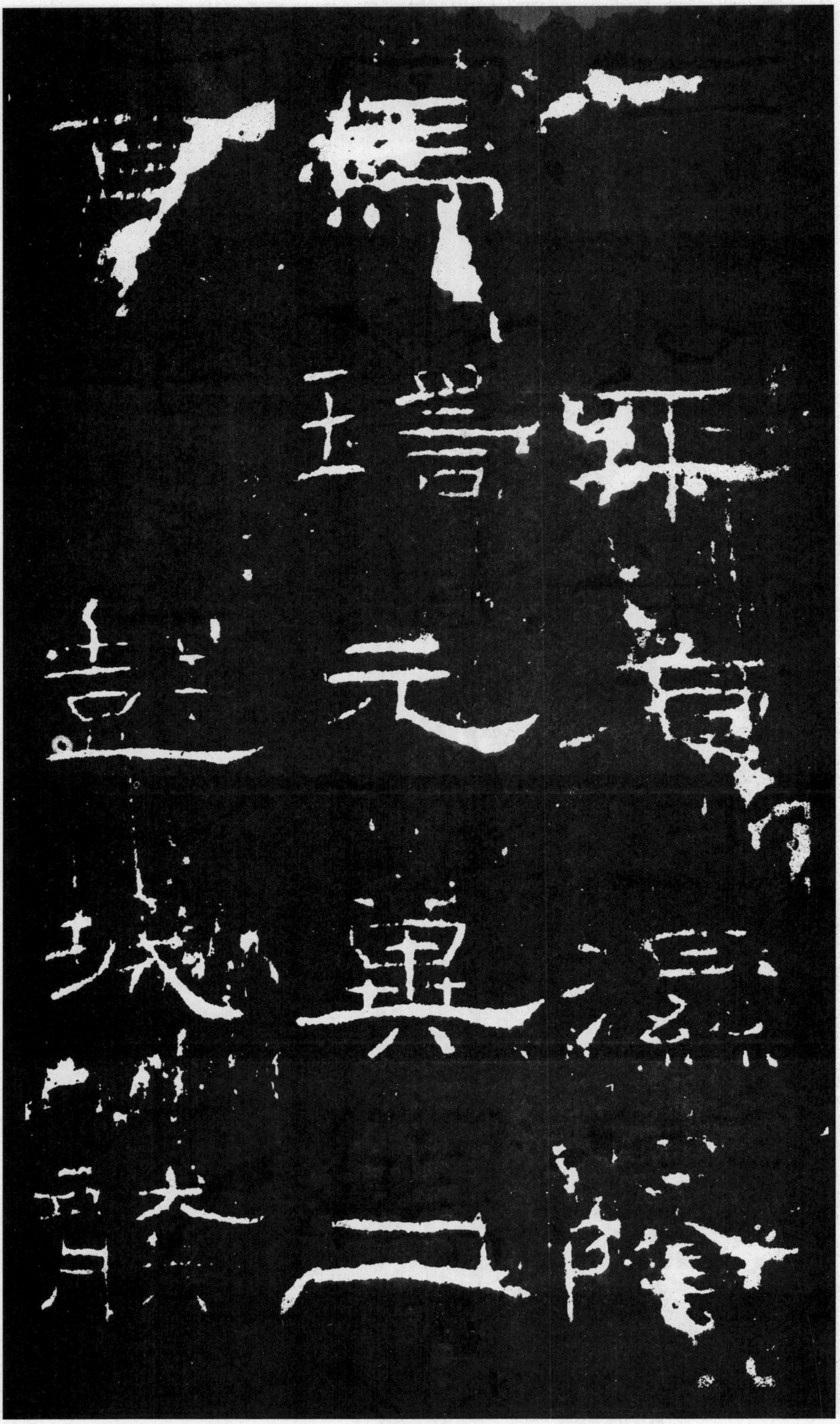

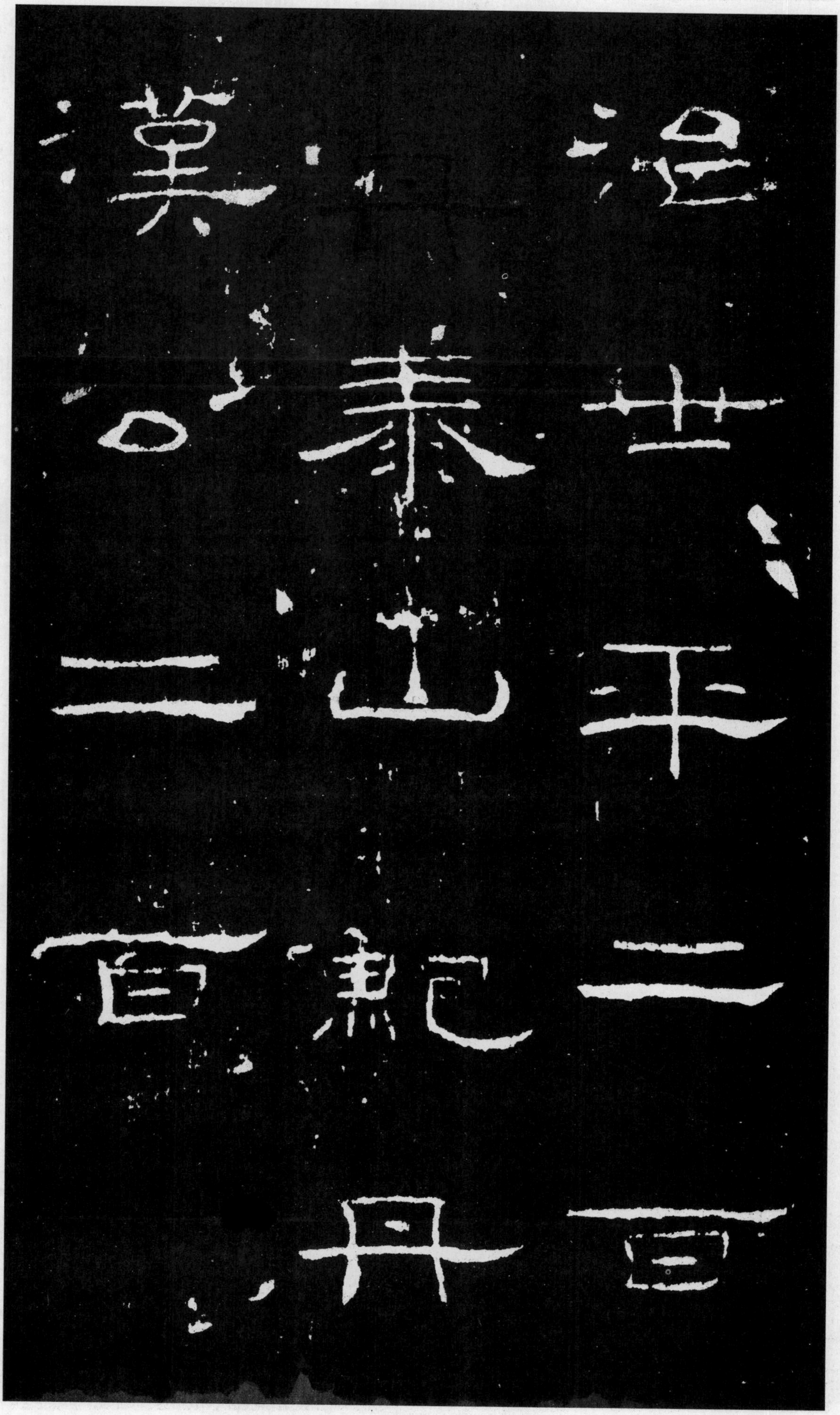
迄廿年二百
泰山紀丹
漢
二百

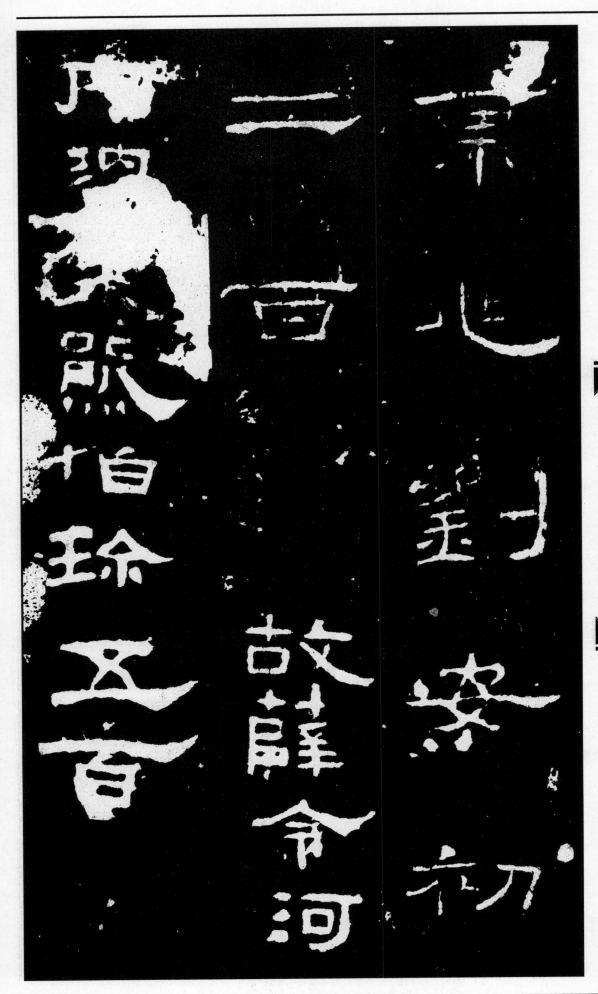

章元[illegible]劉[illegible]姿初

二百[illegible]故薛令河

門[illegible]孫熙伯珍五百

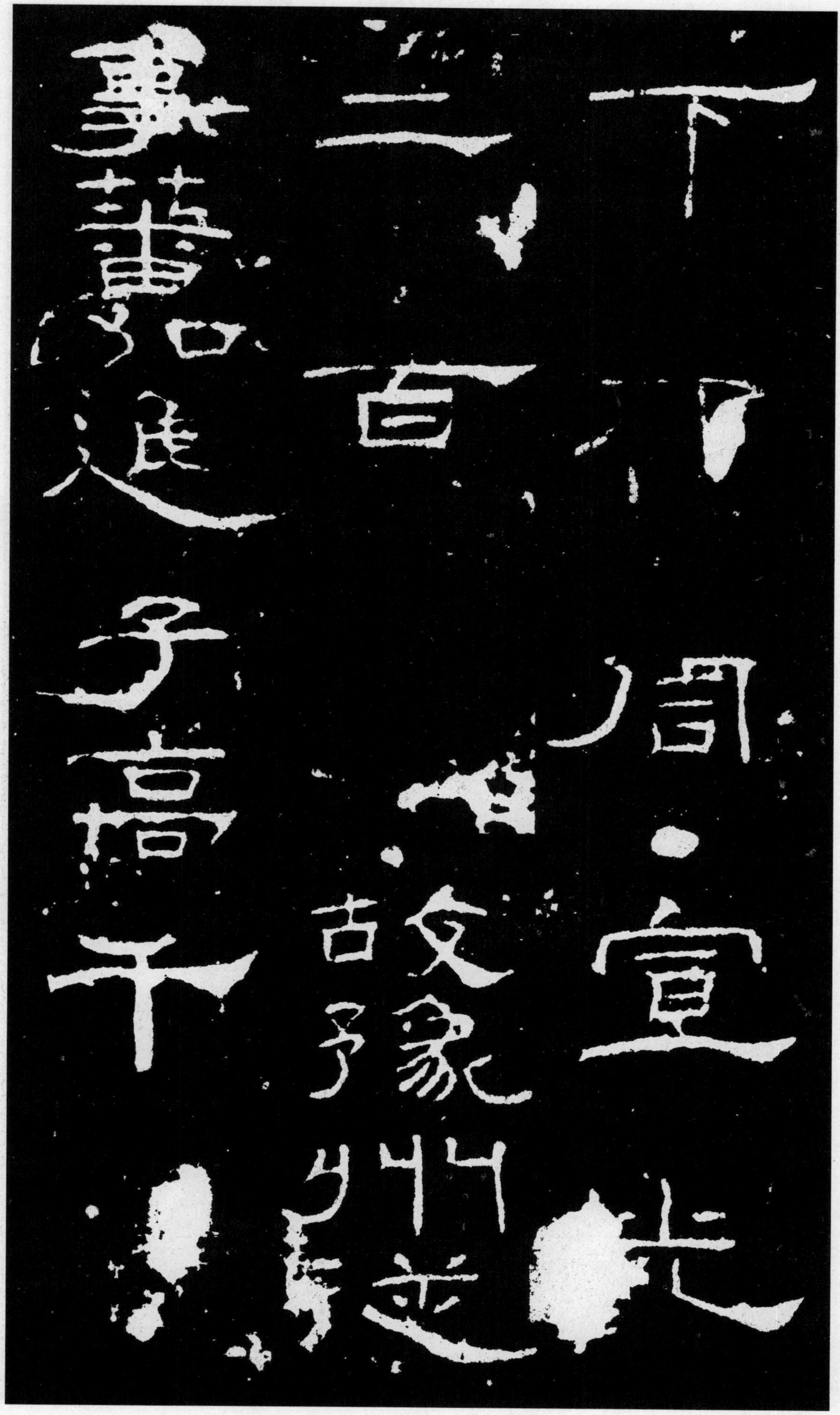

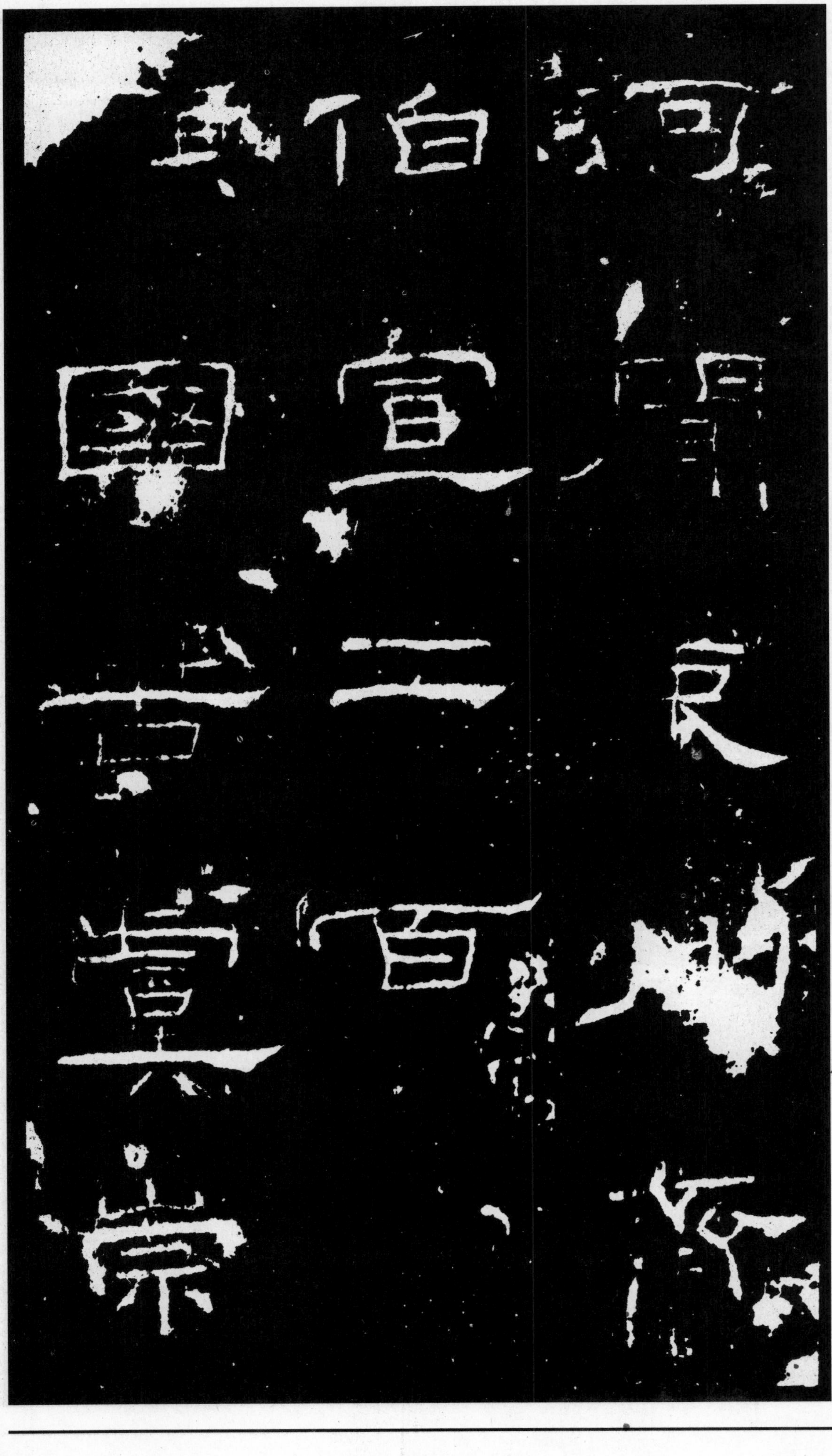

伯宗二百
穎川長社
孝孟三百

汝南宋公國
陳
山陽
南

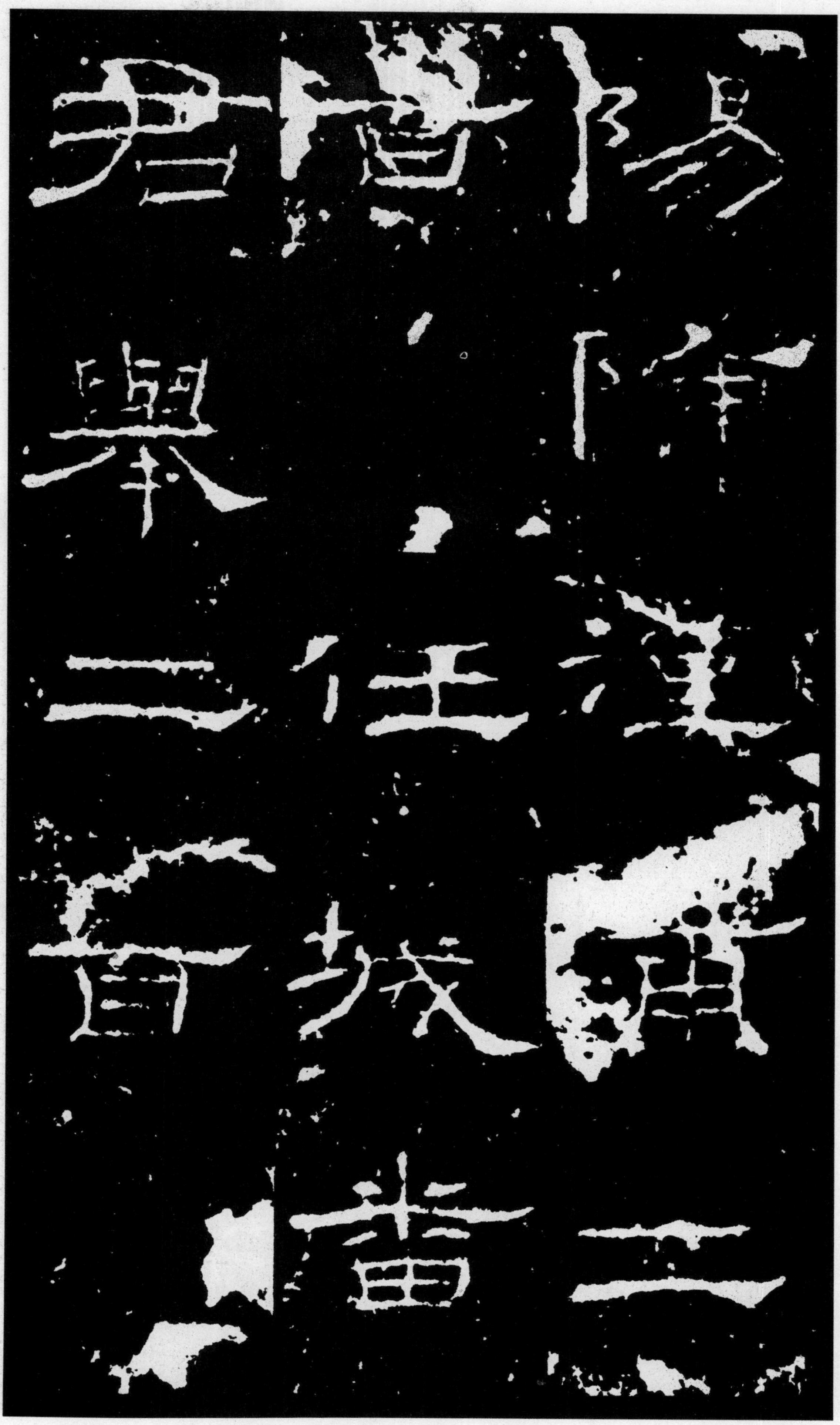

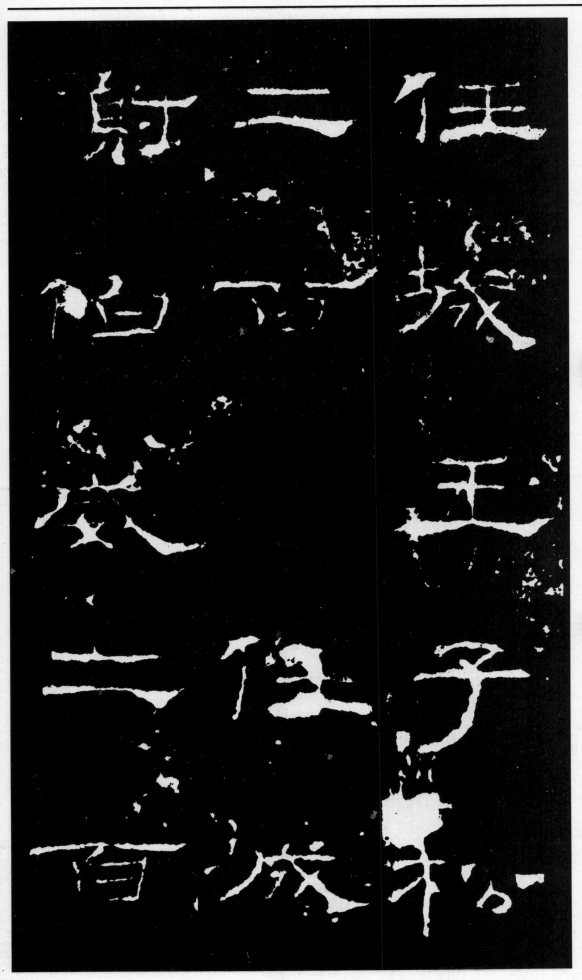

任城王子和

二尚任城

射陷陵二百

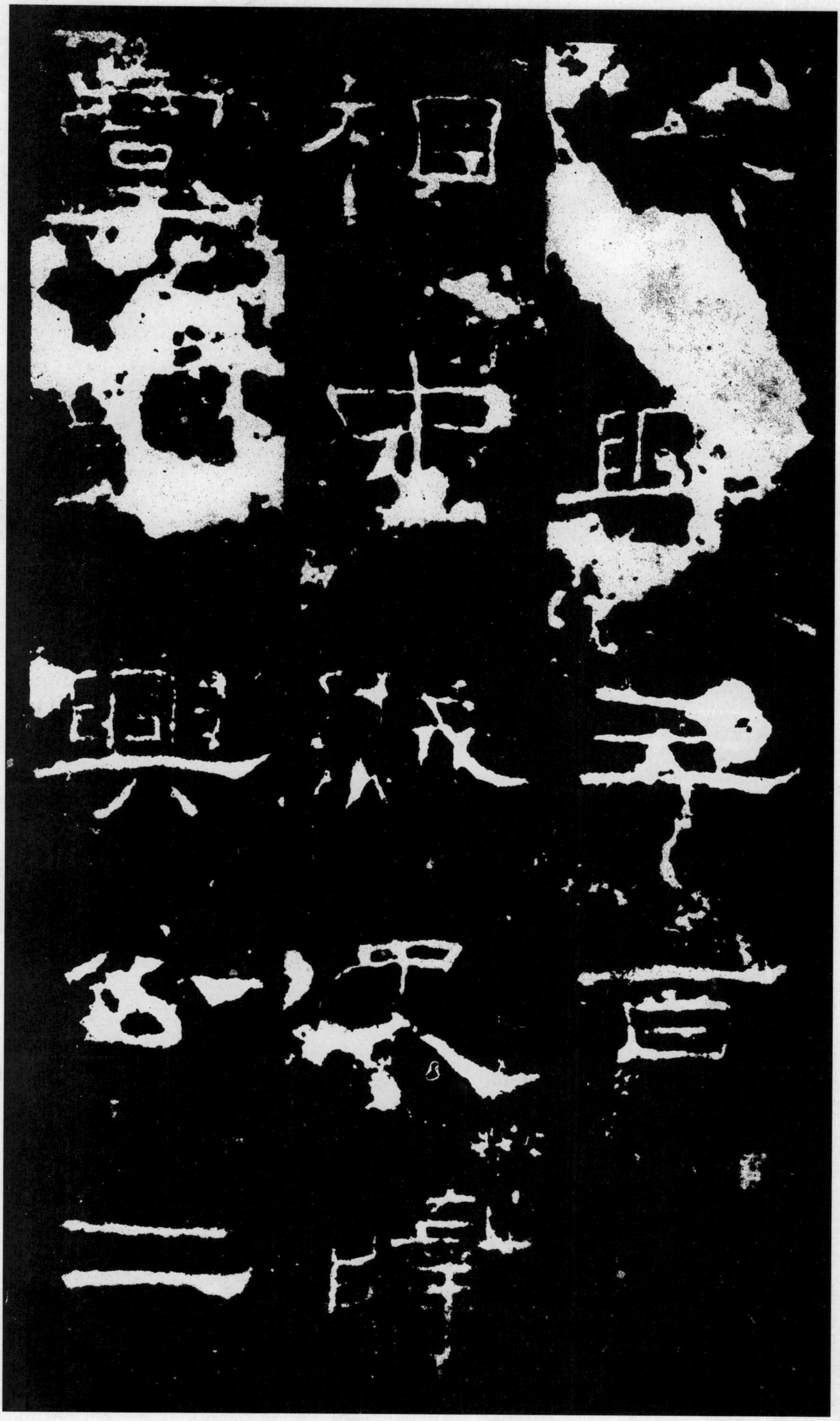

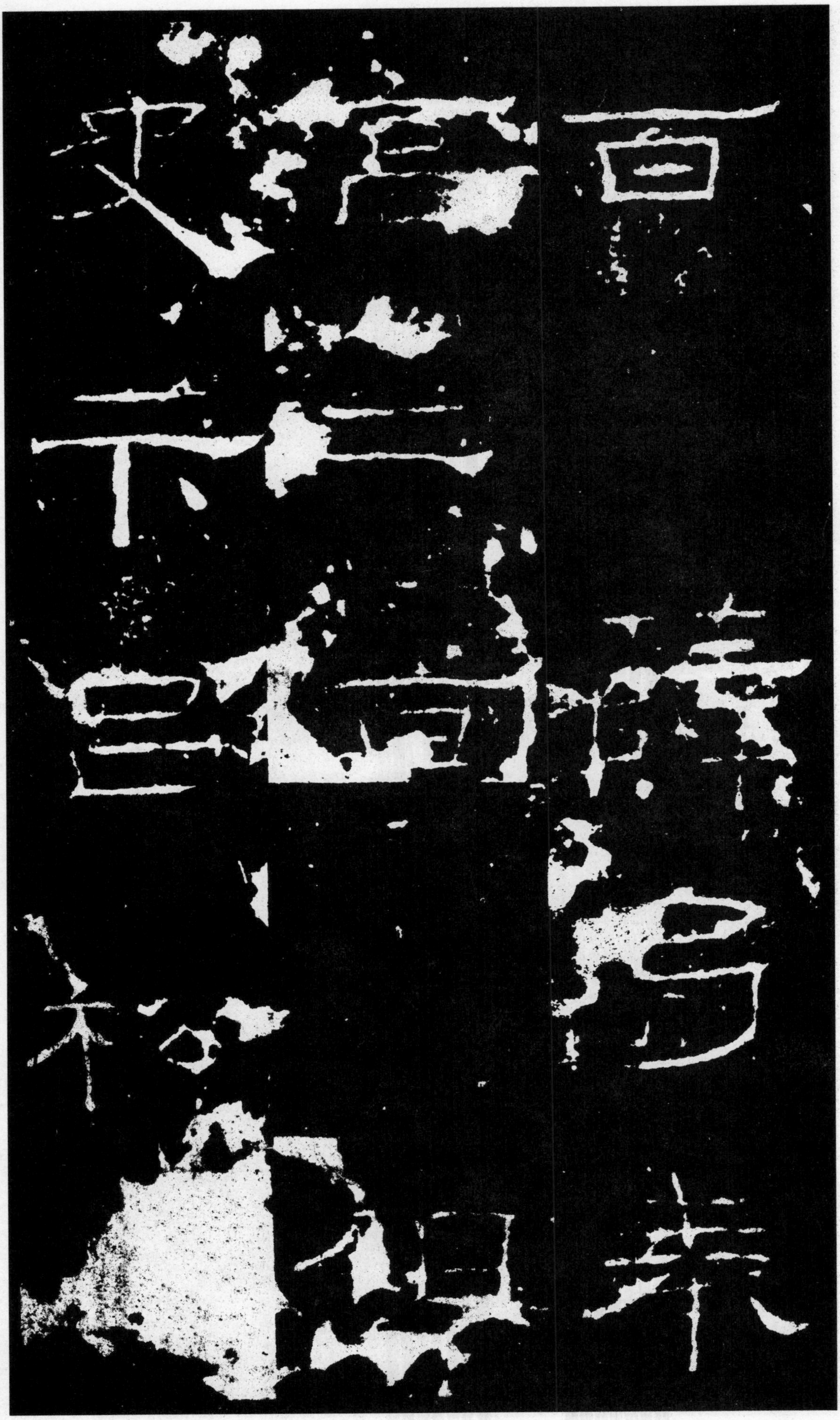

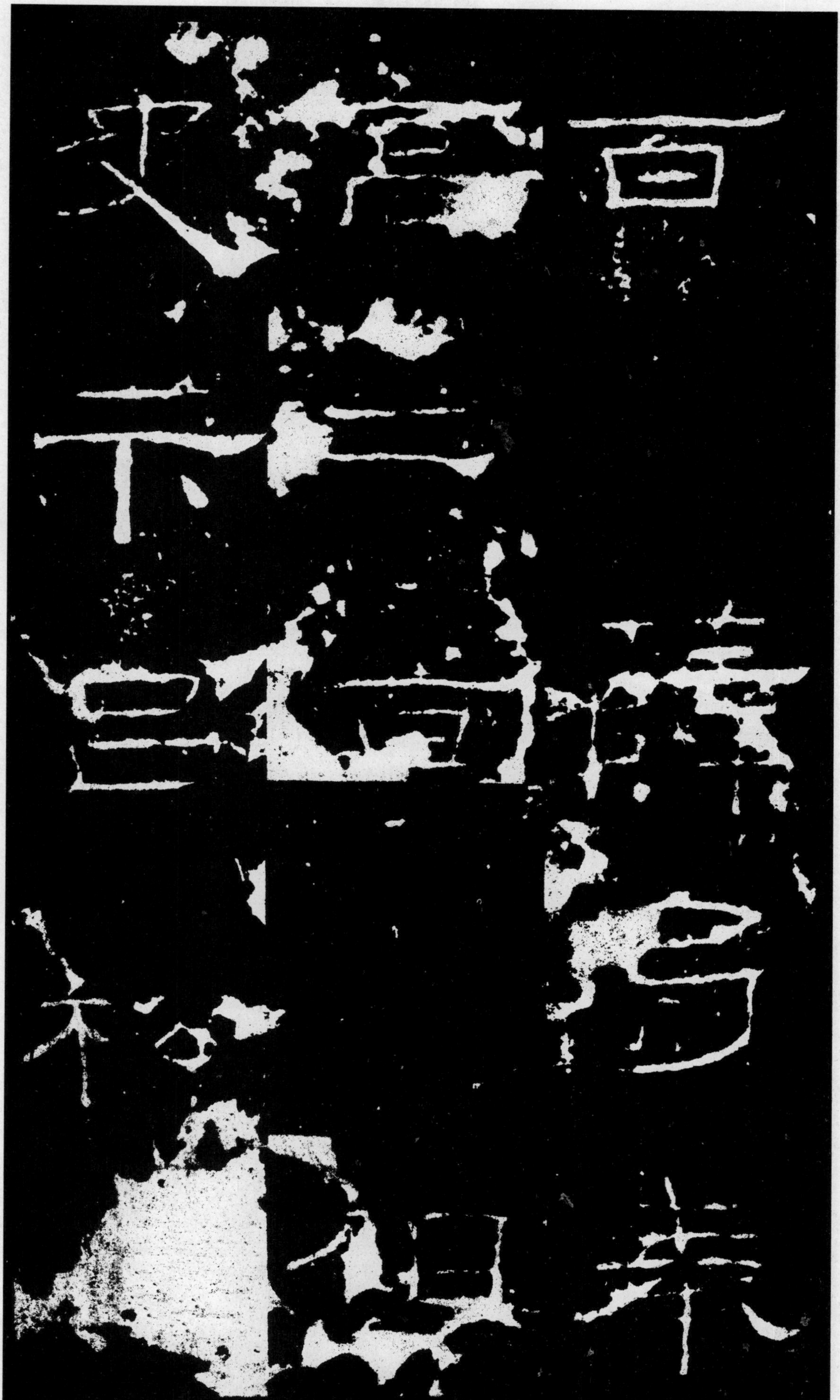

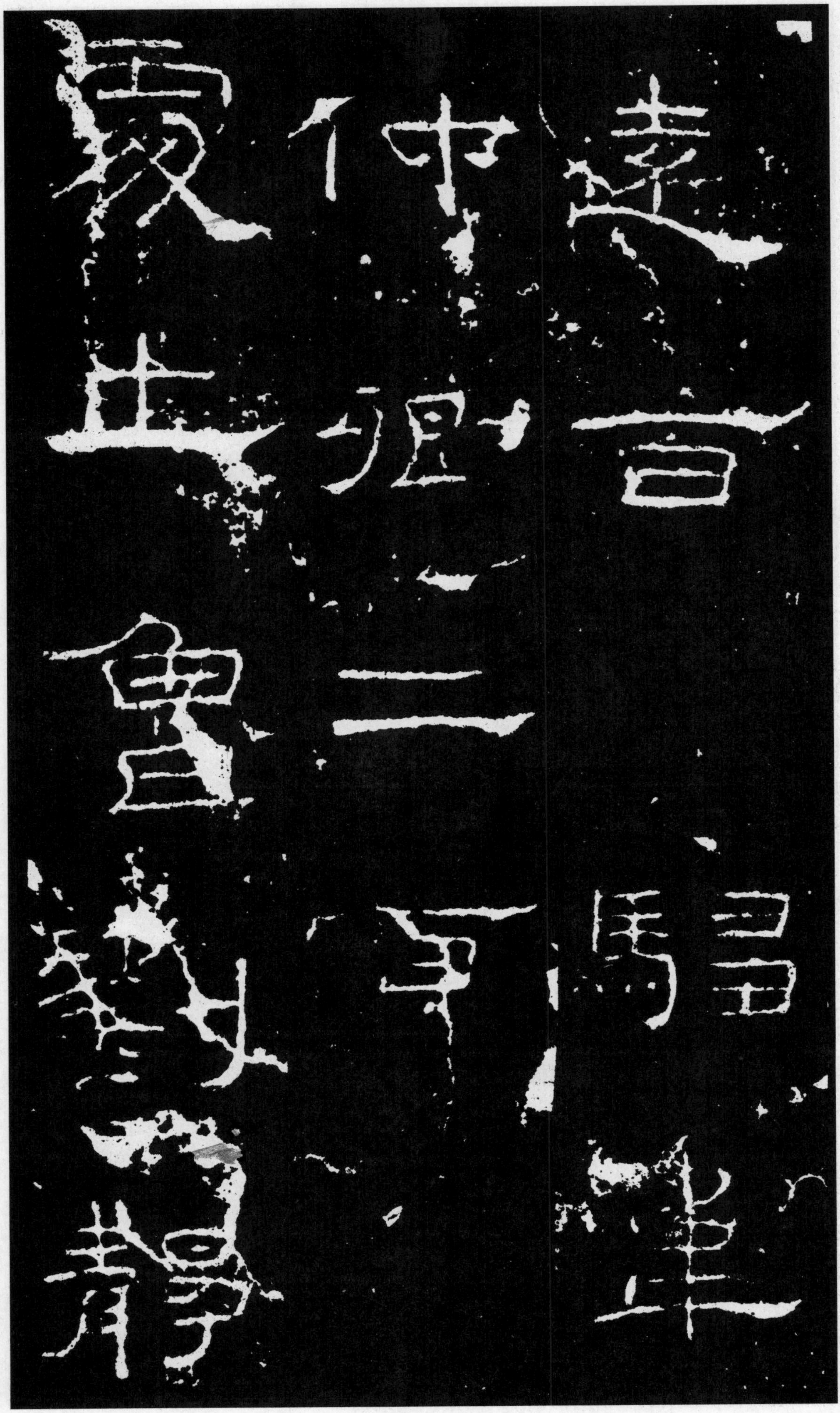

子養千故
後事舊王陵
山勒一百

历代名家碑帖

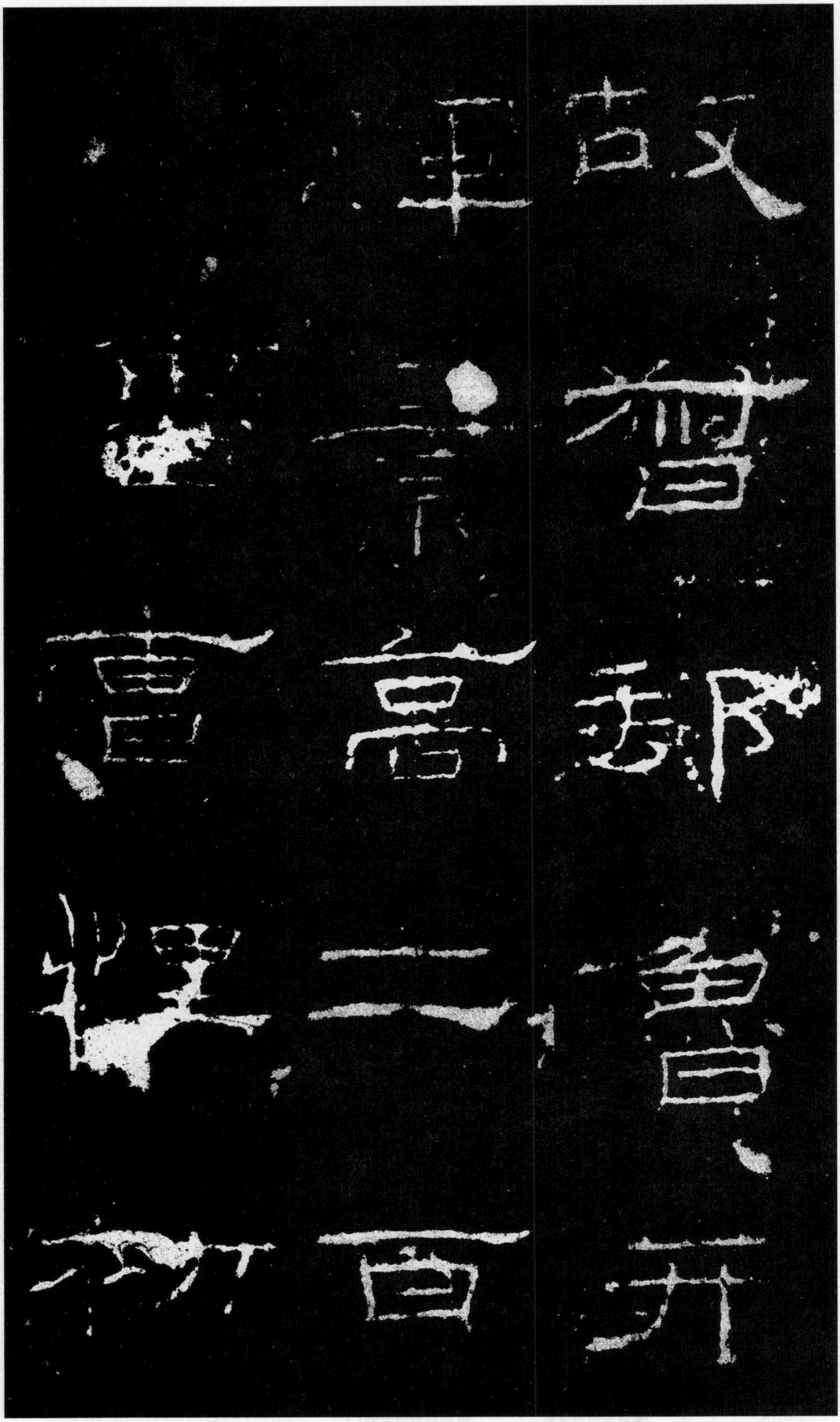

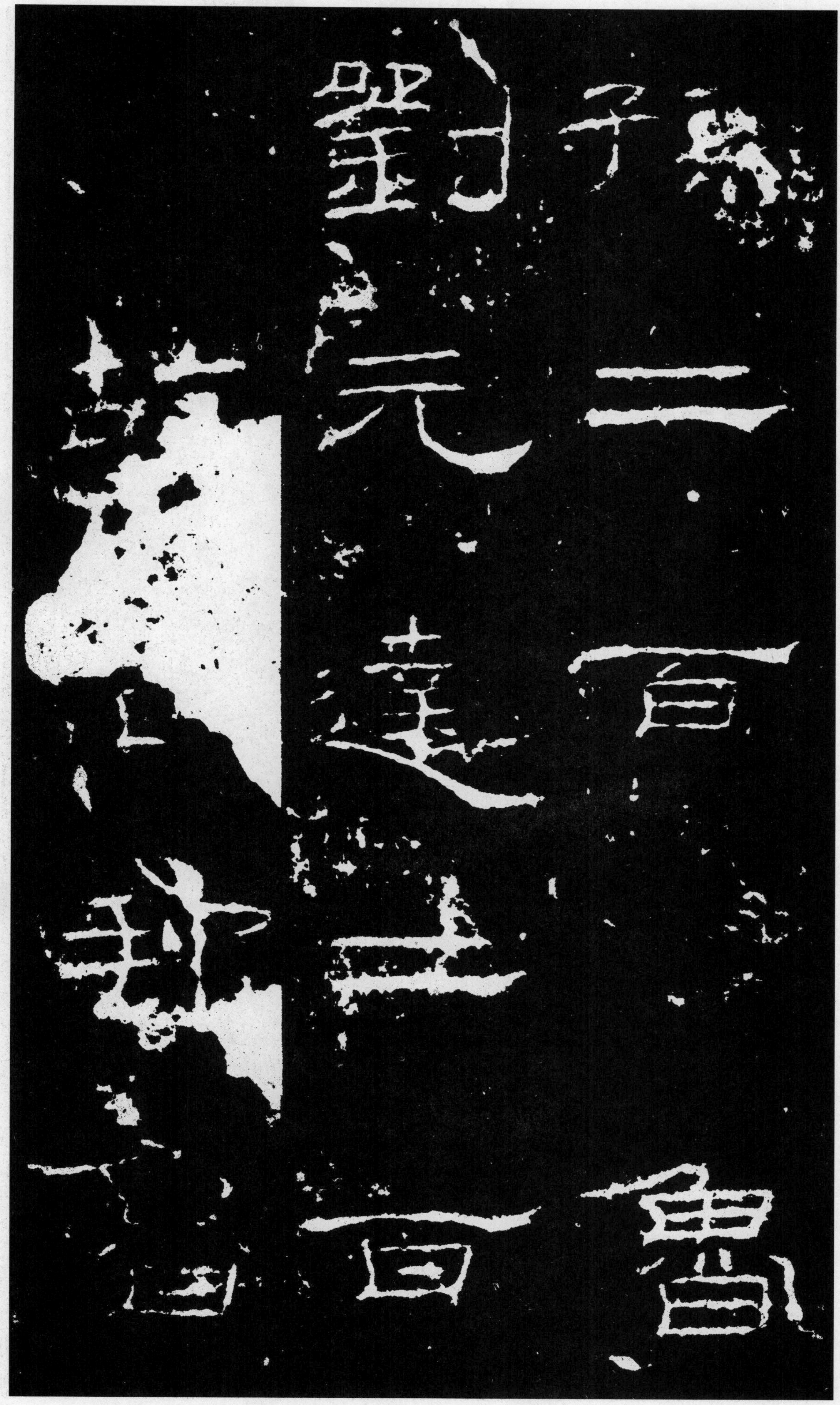

[illegible]軍之望六
之郎中會
孔寔季淳千

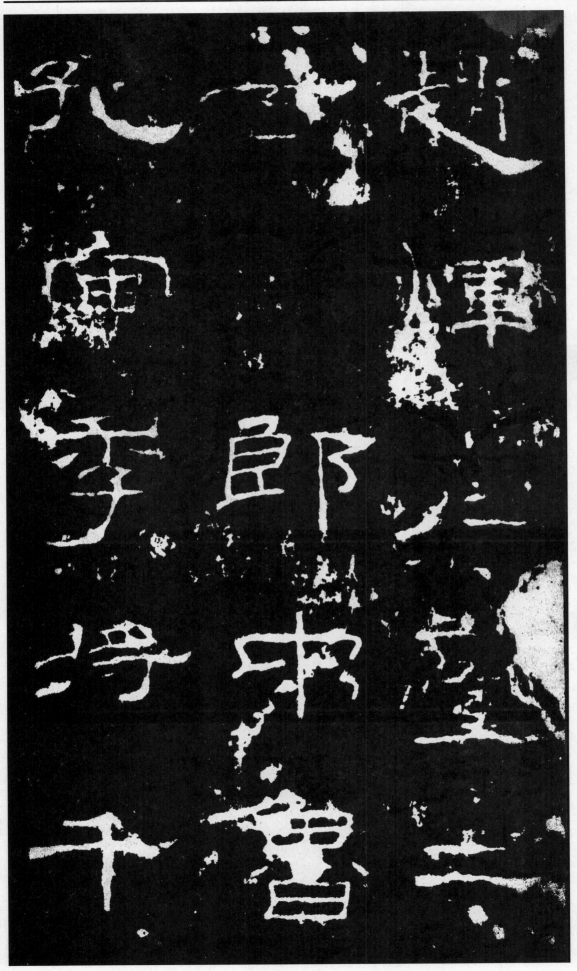

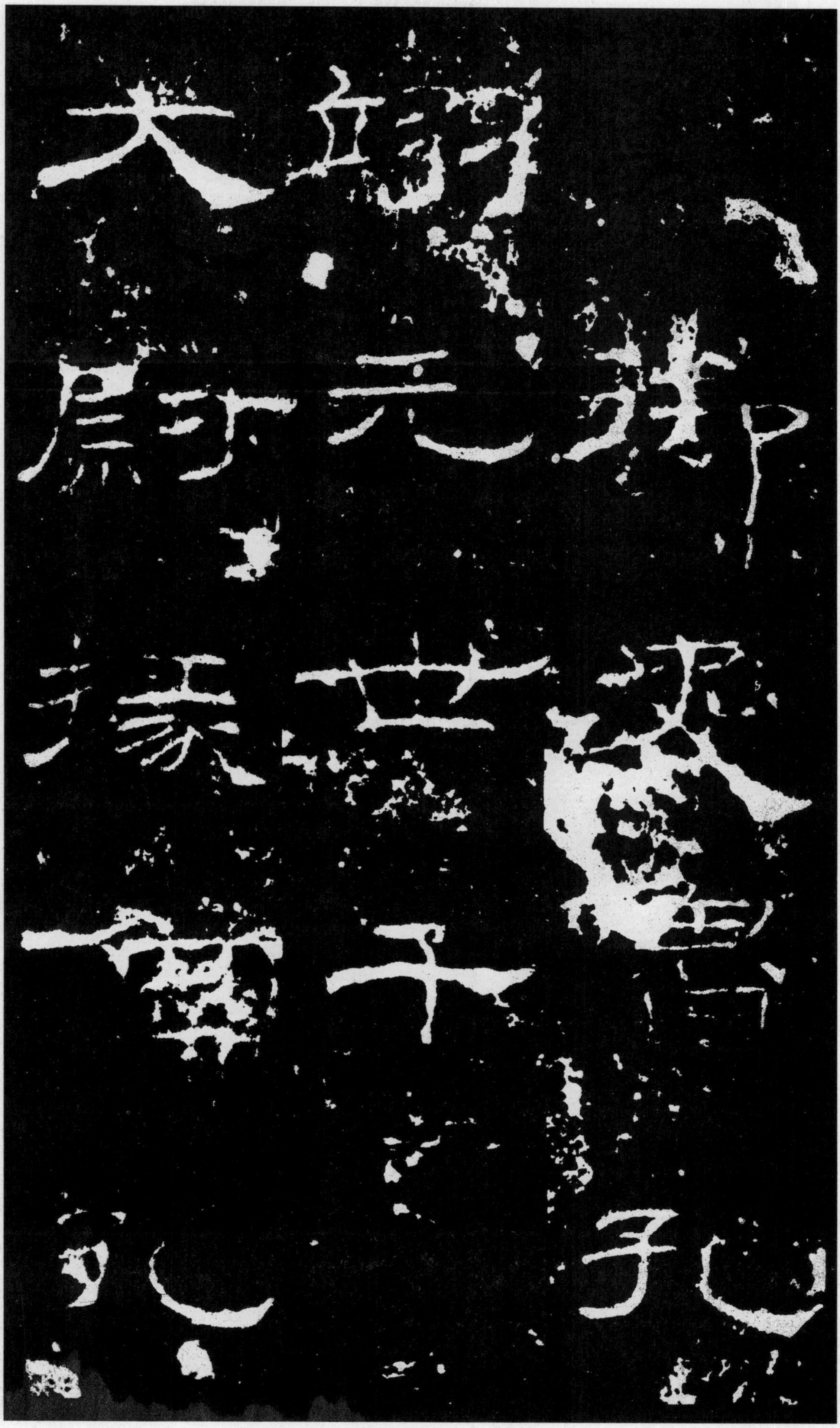

历代名家碑帖

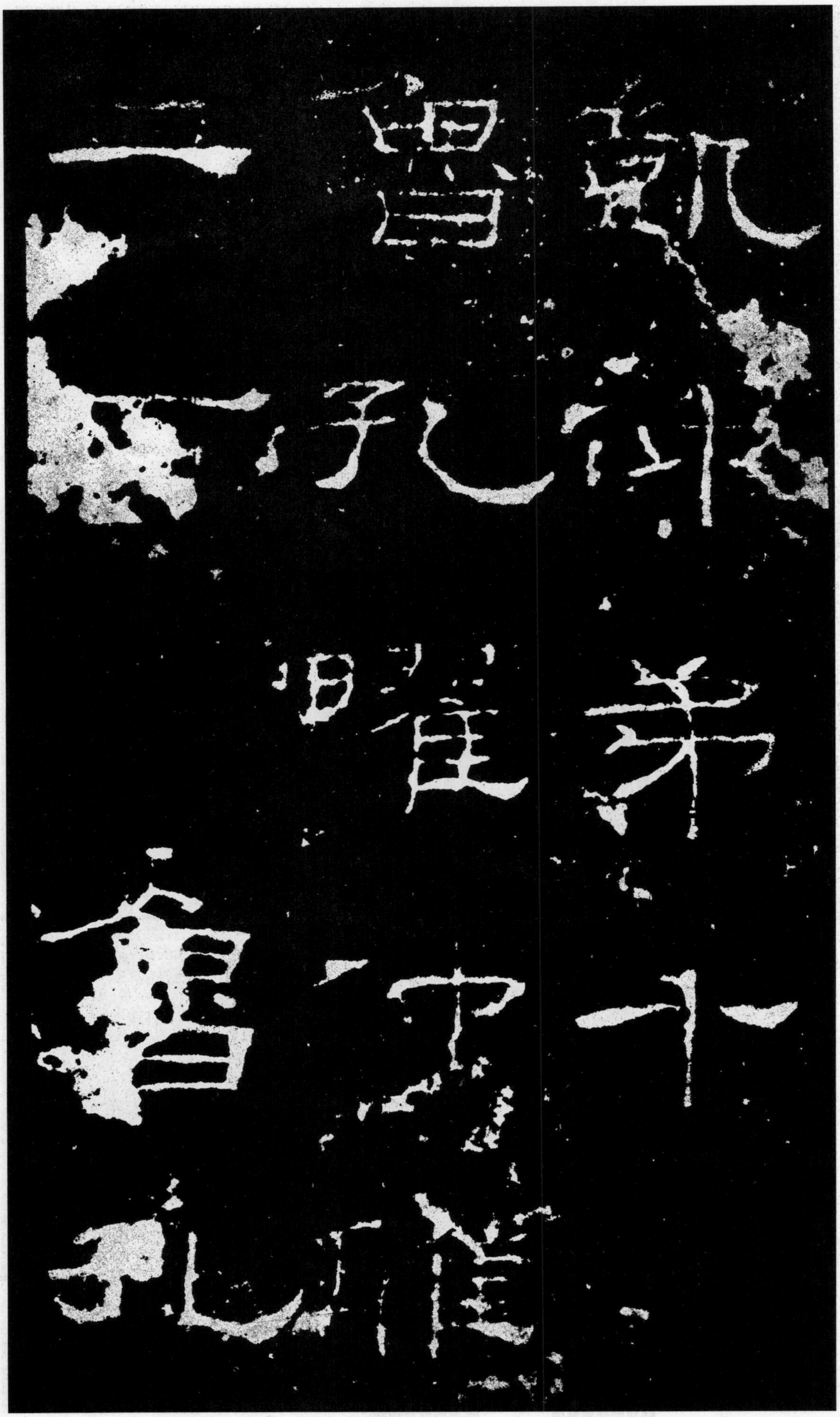

历代名家碑帖

孔巡
文陽
先道二百

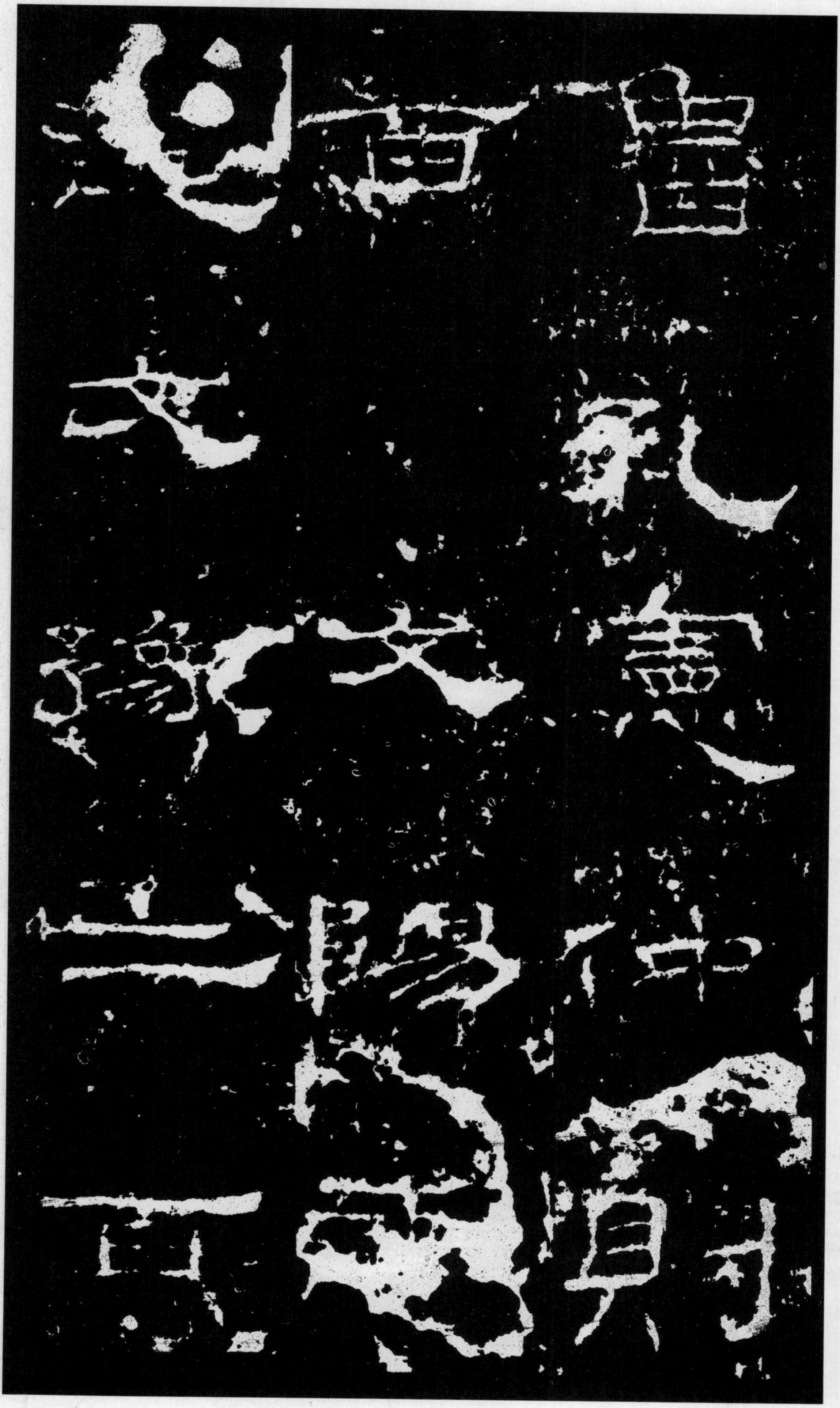

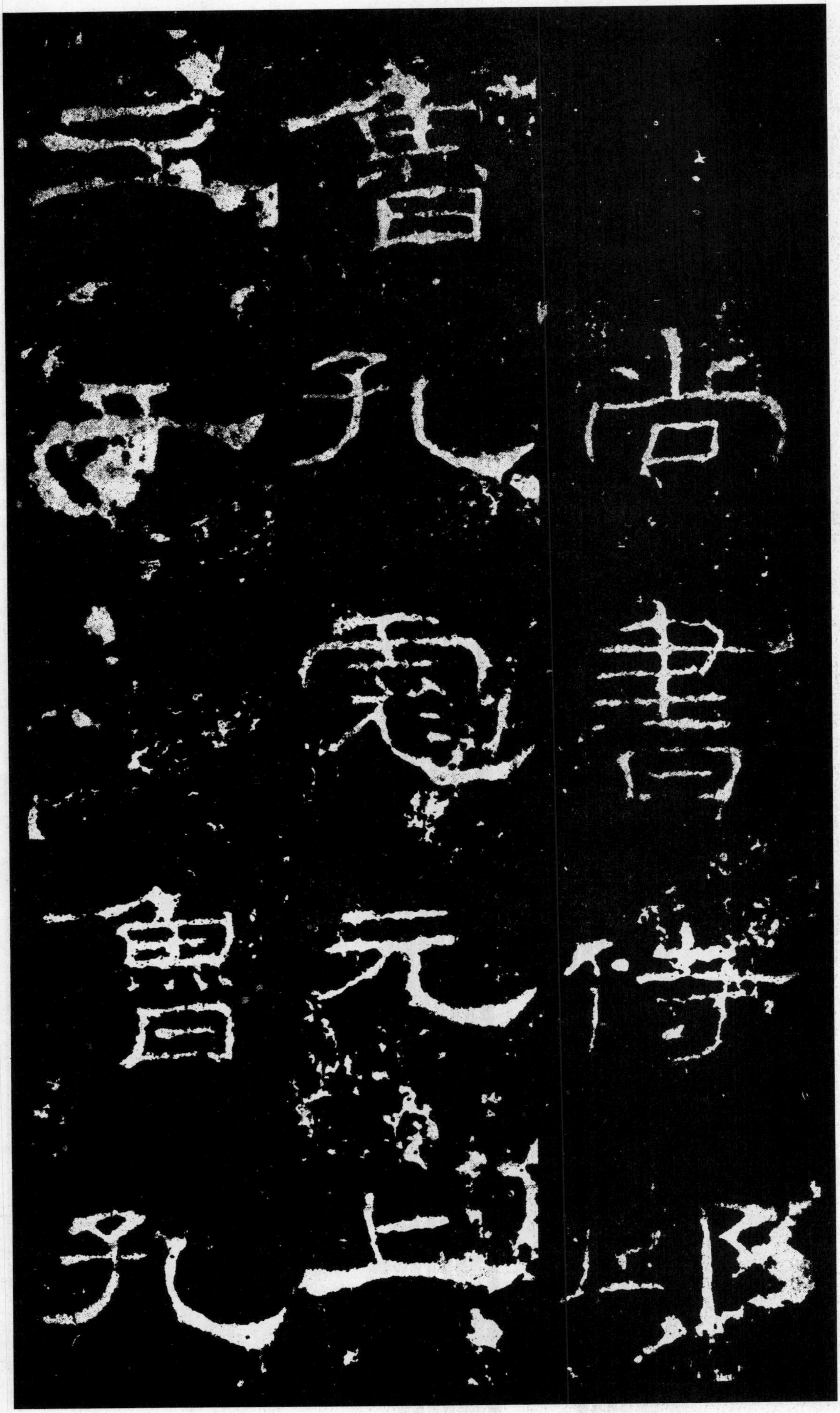
尚書侍郎
魯孔彪元上

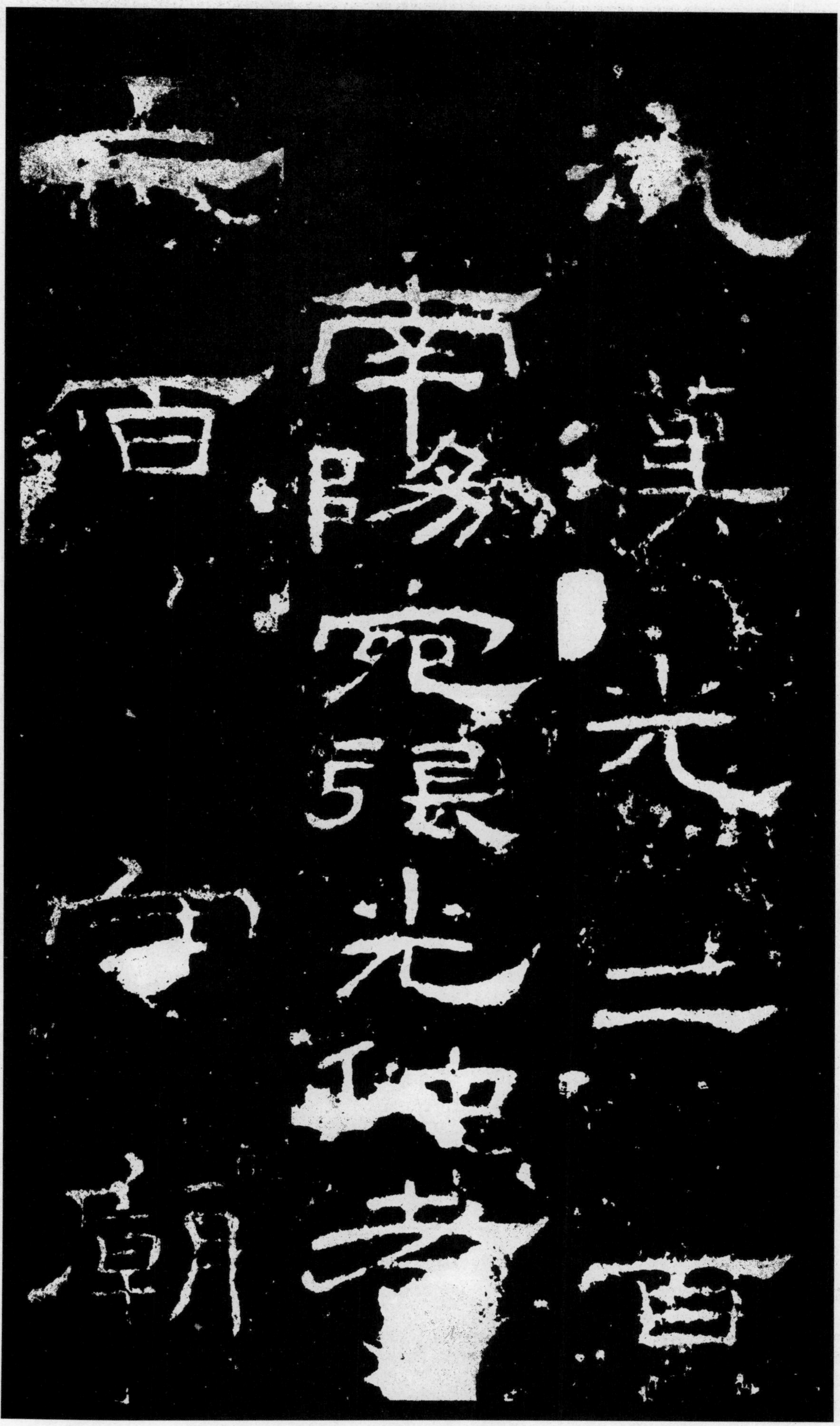
南陽宛張光

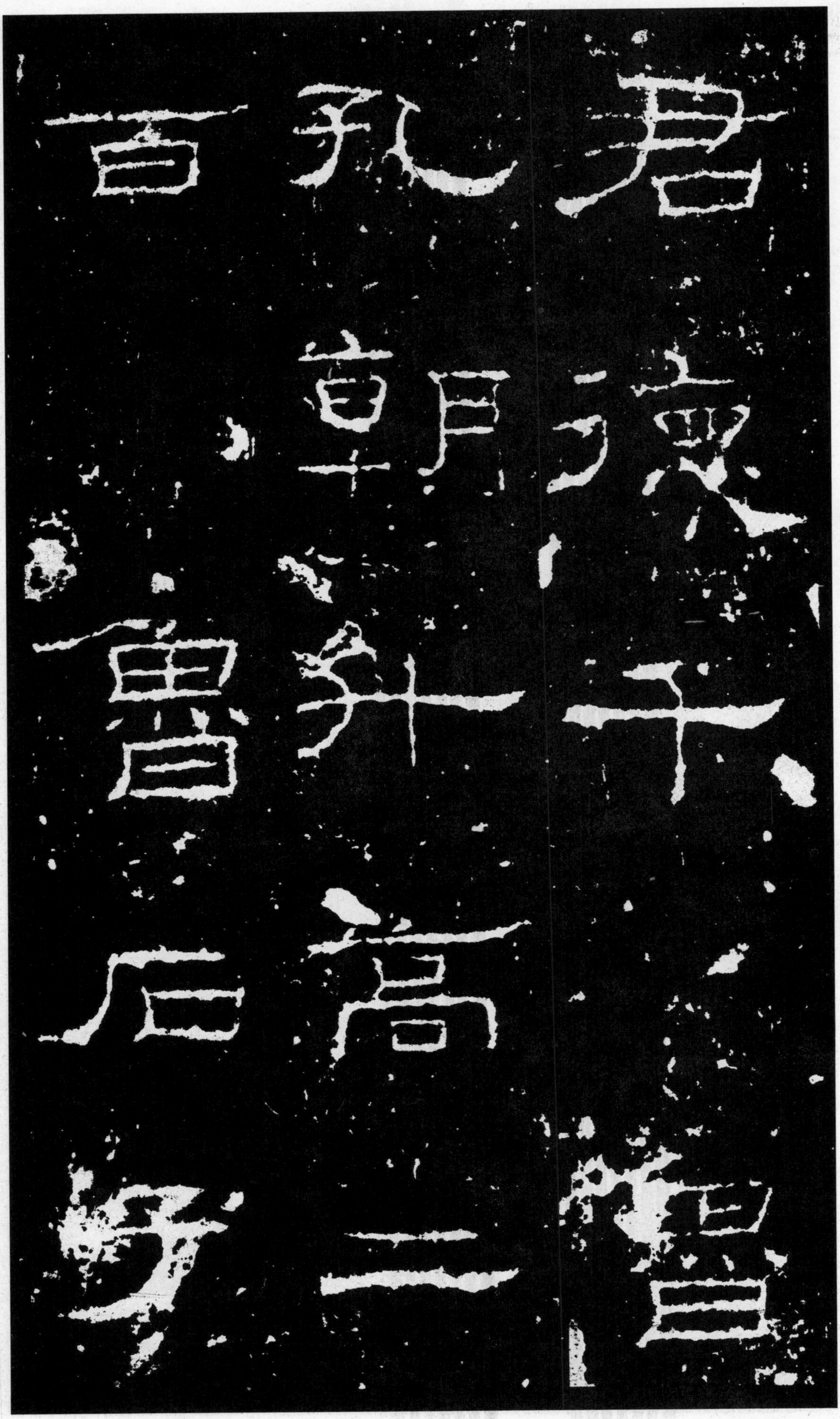

百
魯洋伸陸

百
魯劉四寬

千百
河南匽師

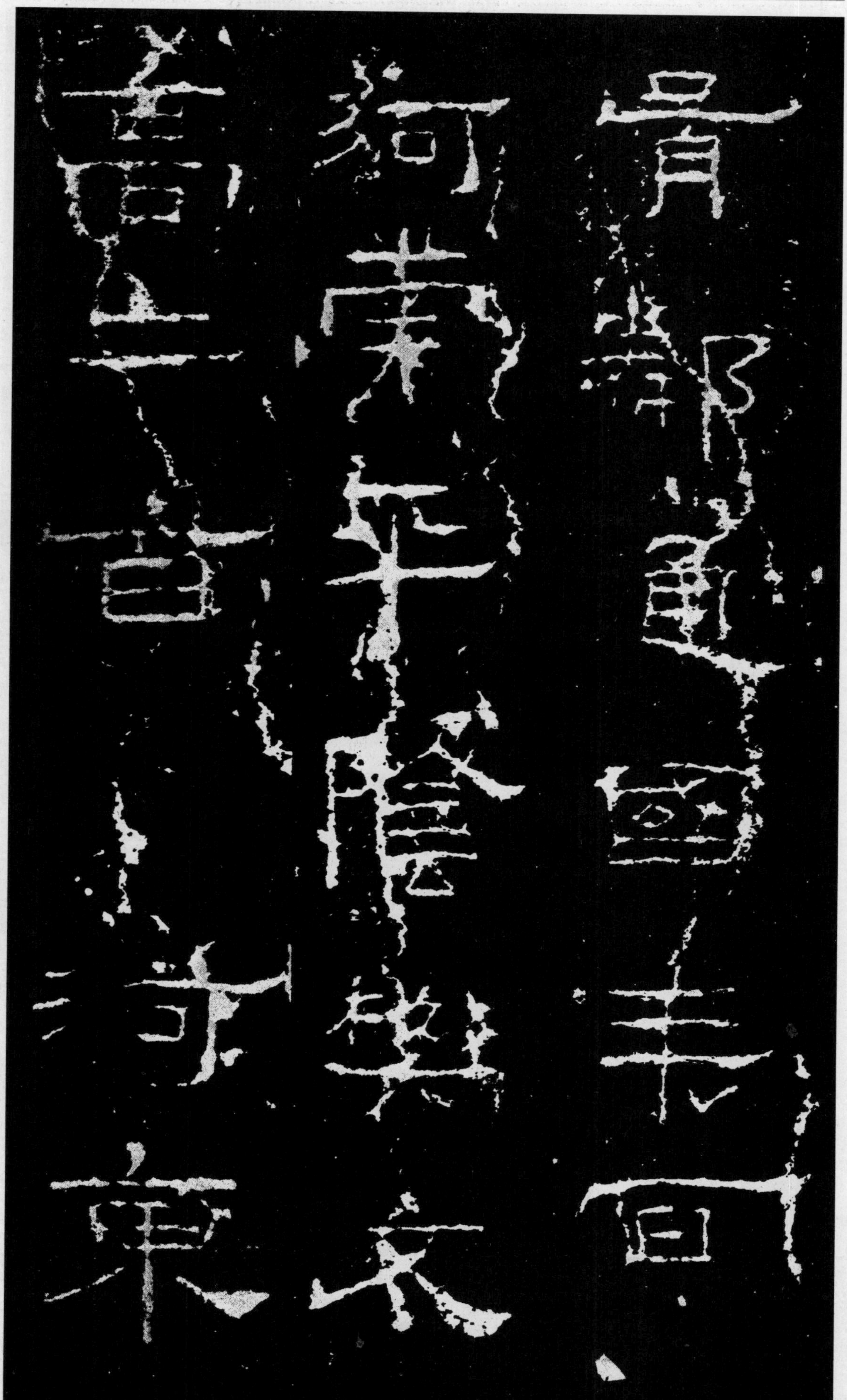

臨汾敬謙字

章千濟南

[illegible]陽華祐亭

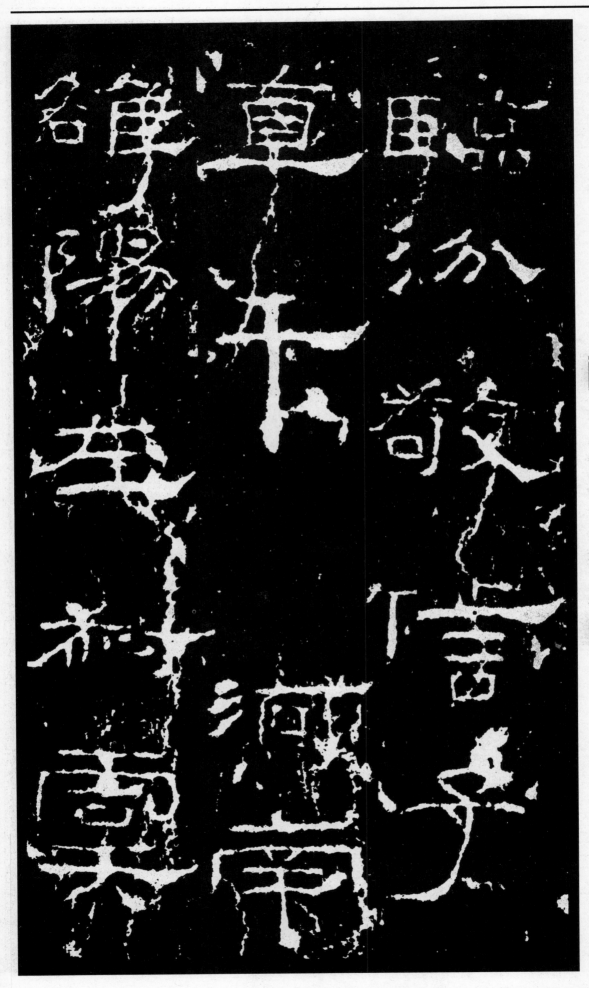

東郡武陽桓

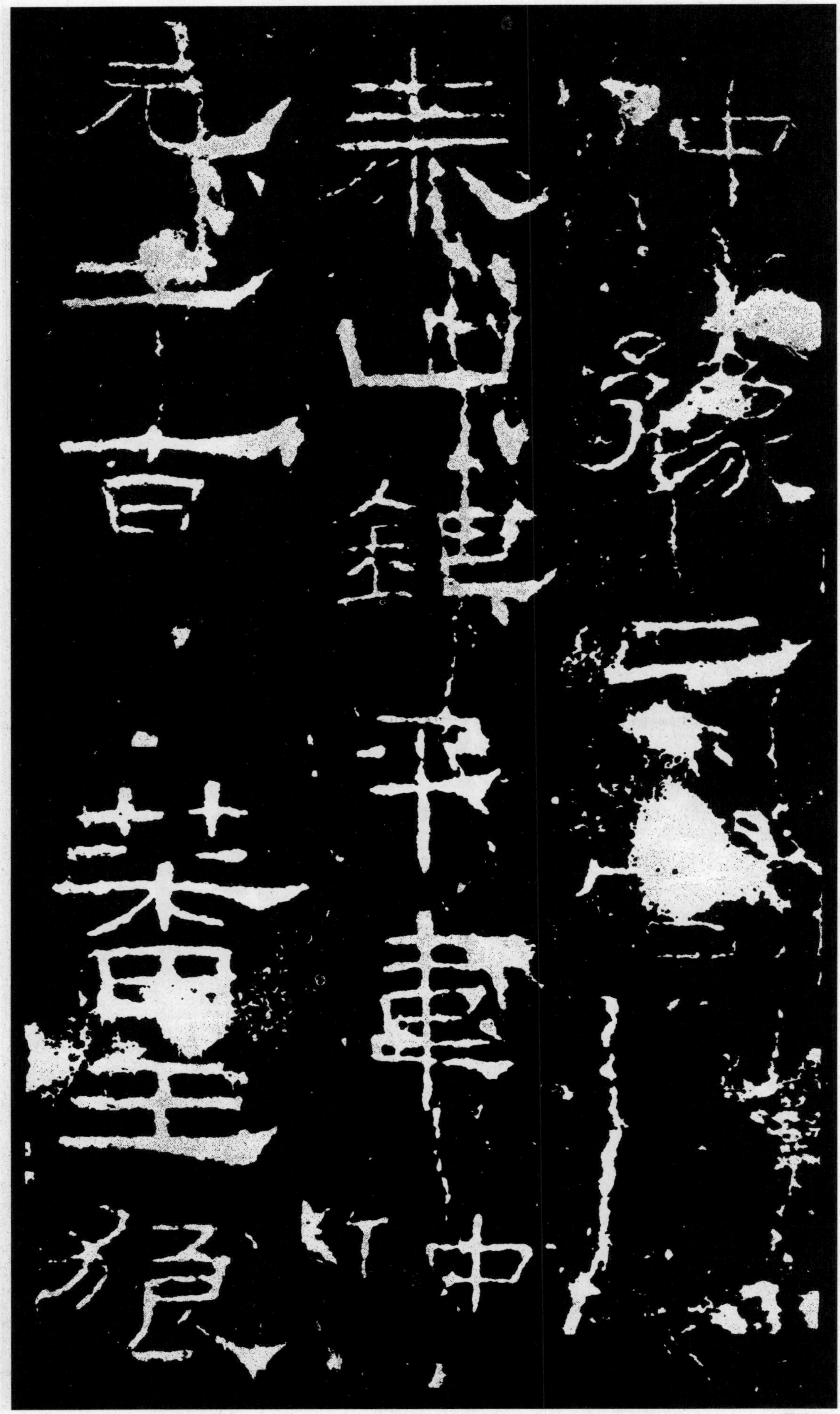

達城劉彥伯字文

高故平陵令魯

廣陵元世平高

年
時令
南鄭趙寬字

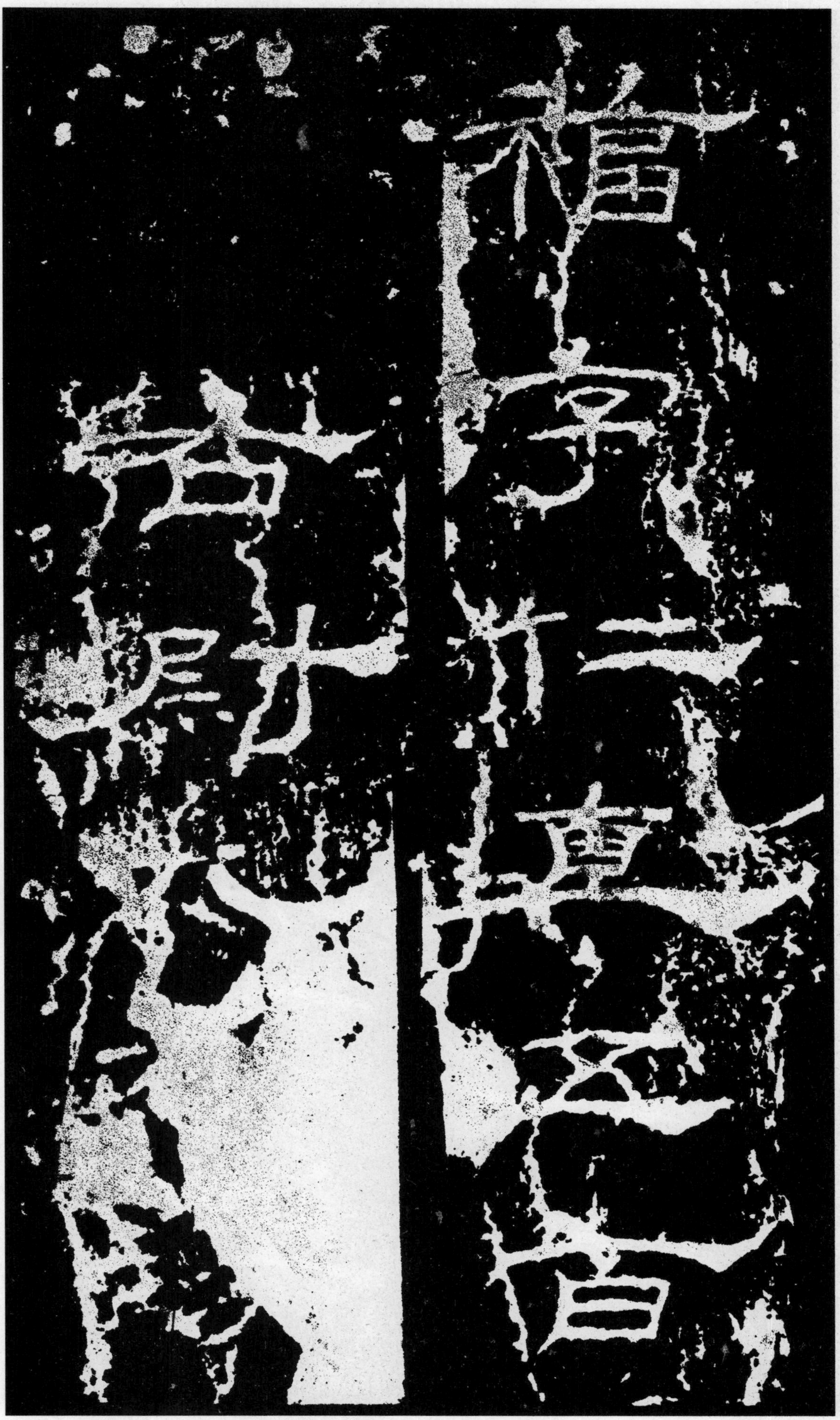

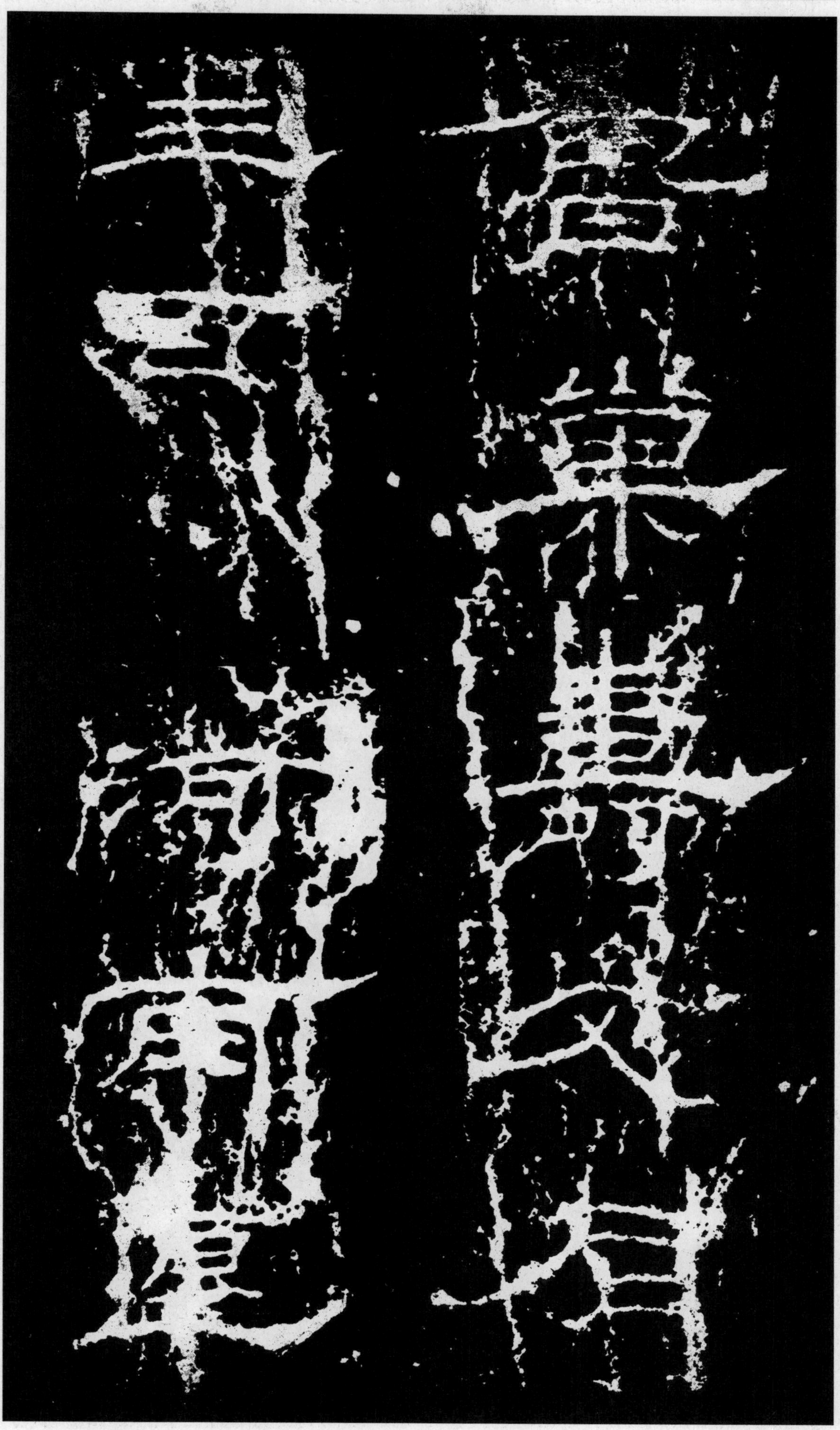

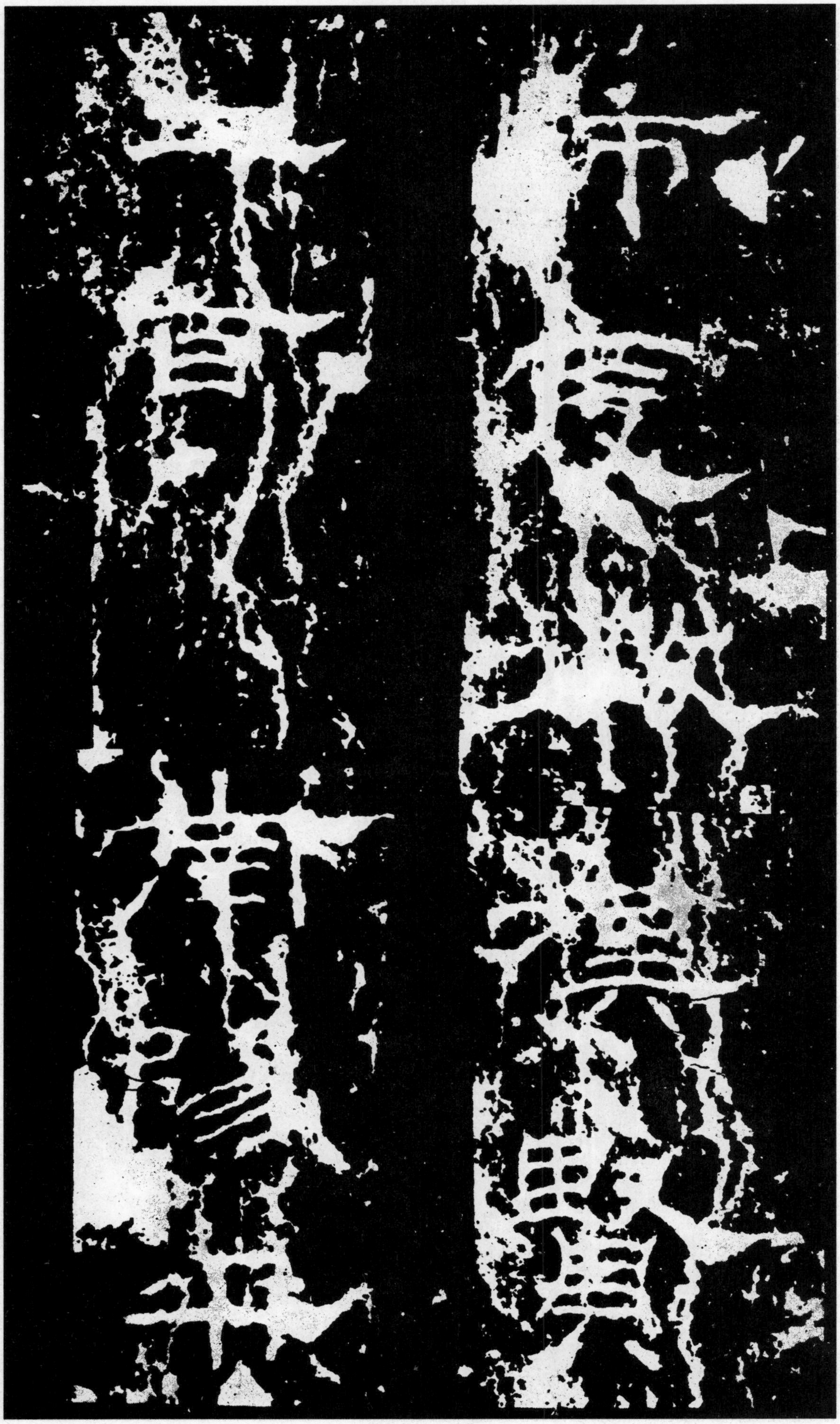

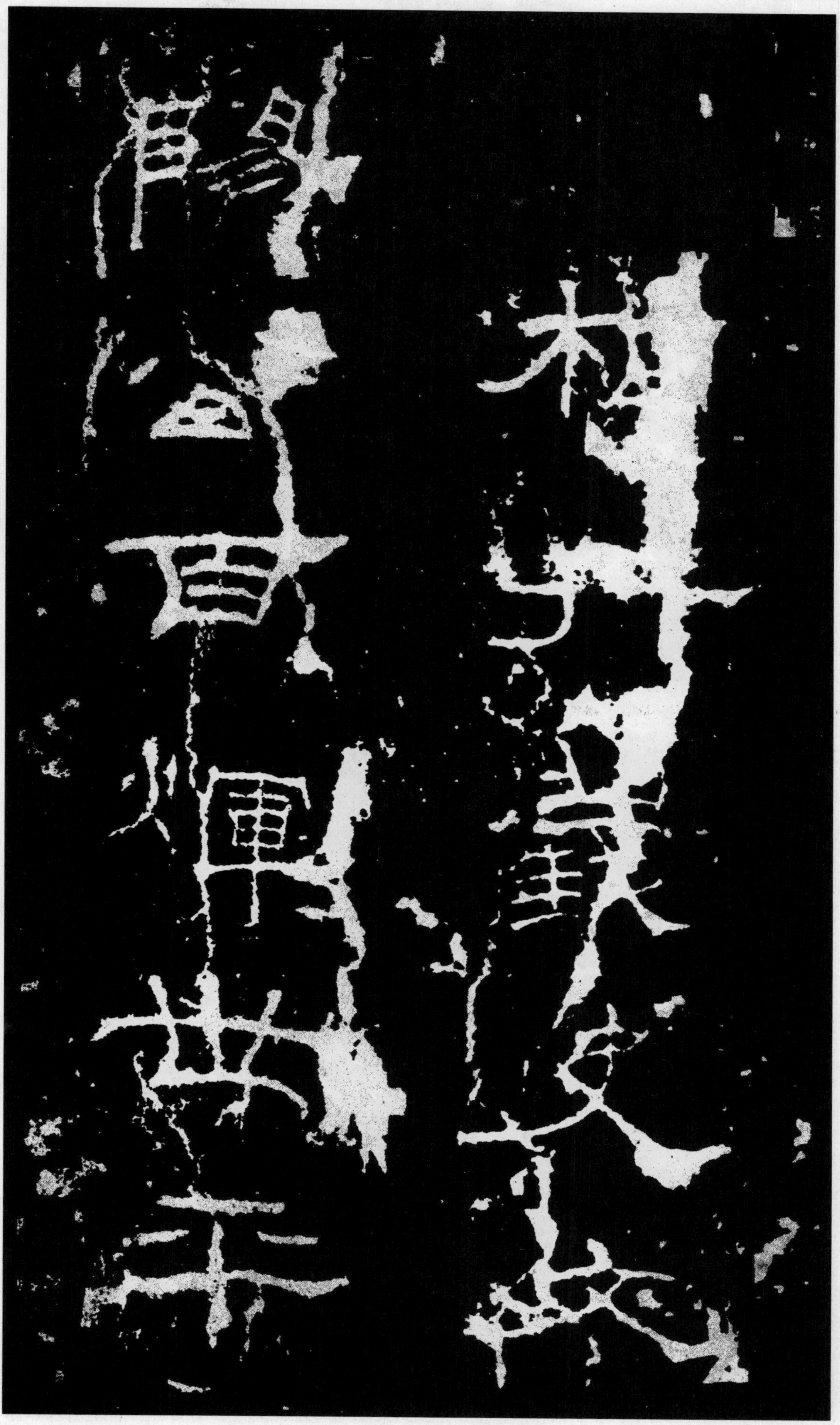

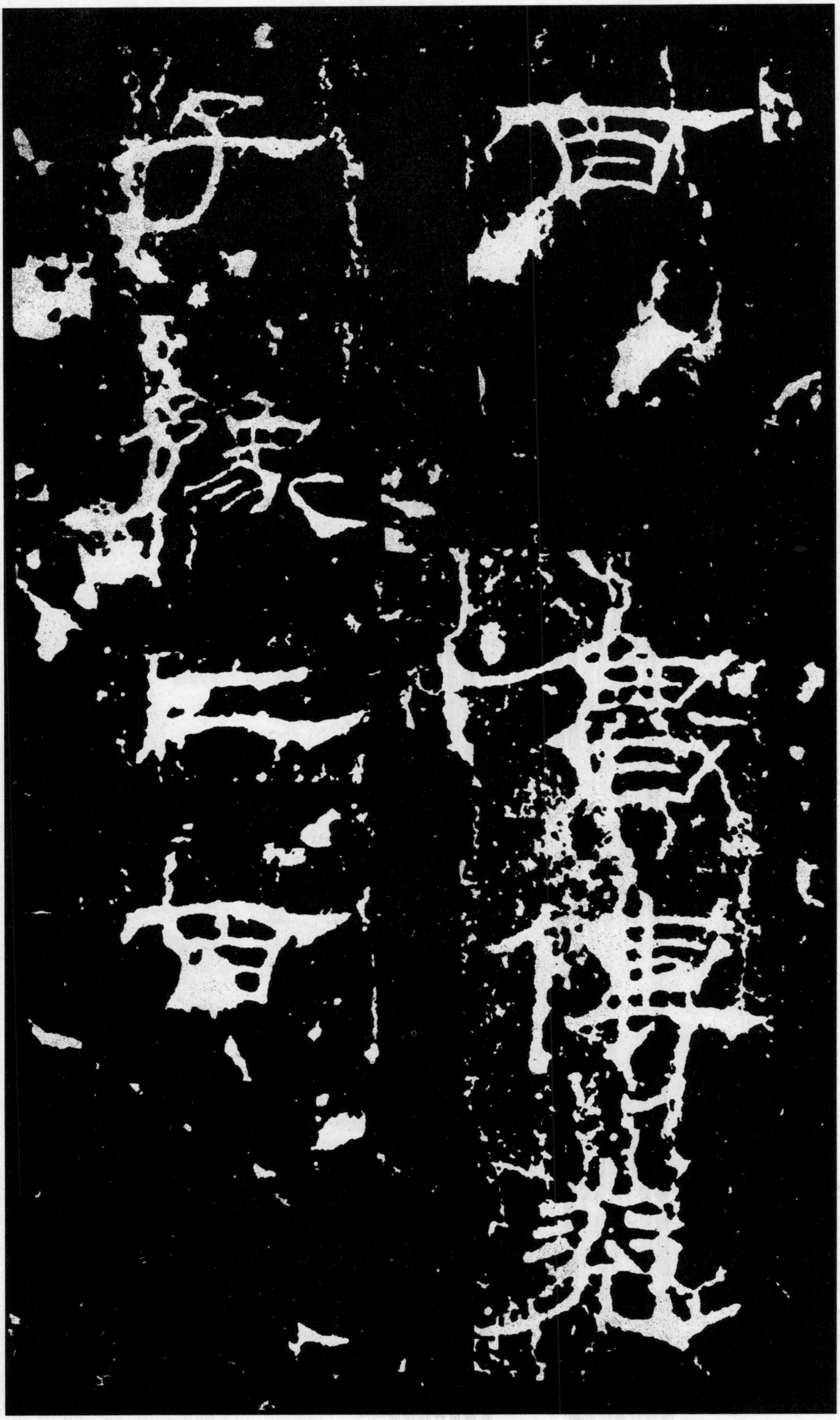

漢張遷碑

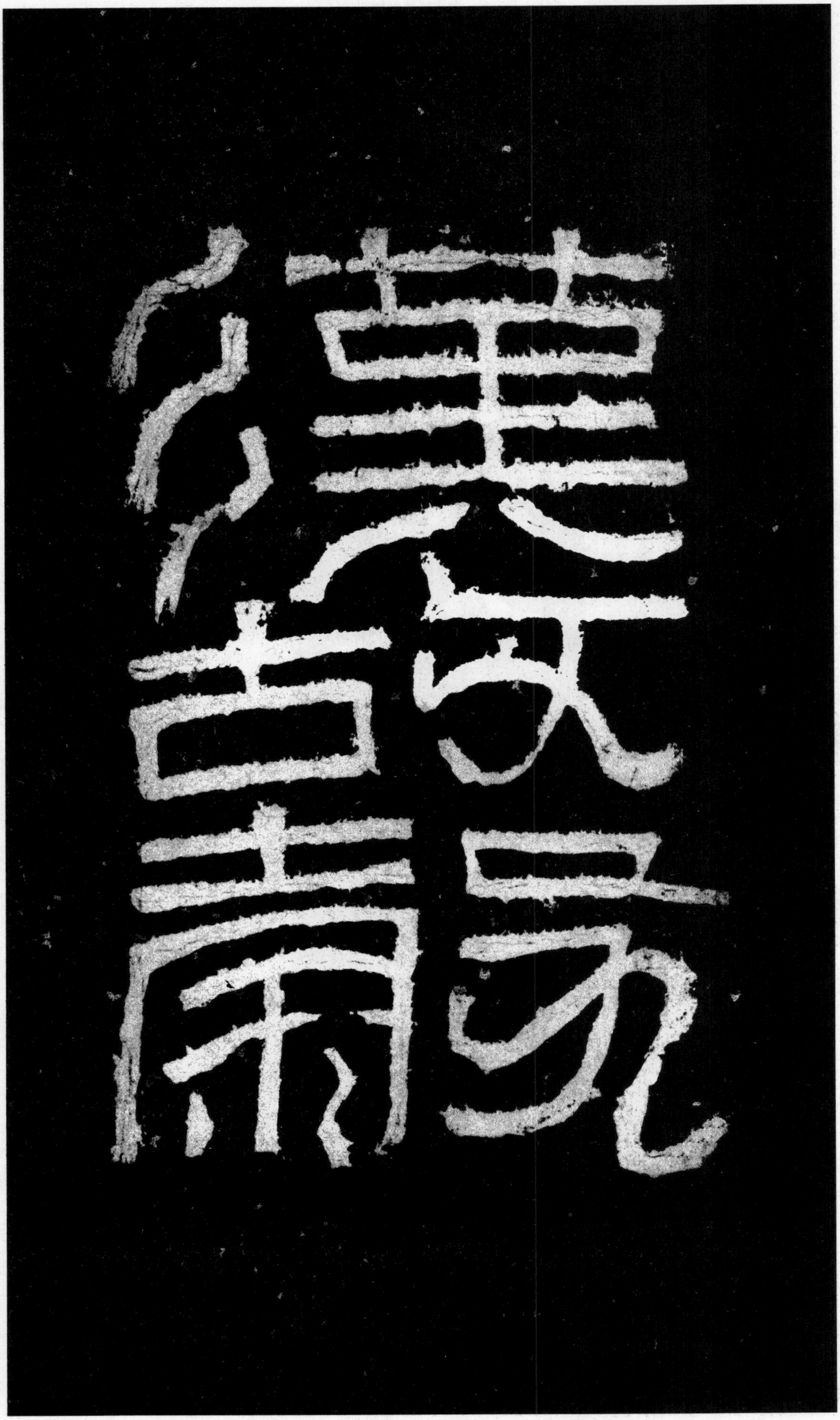

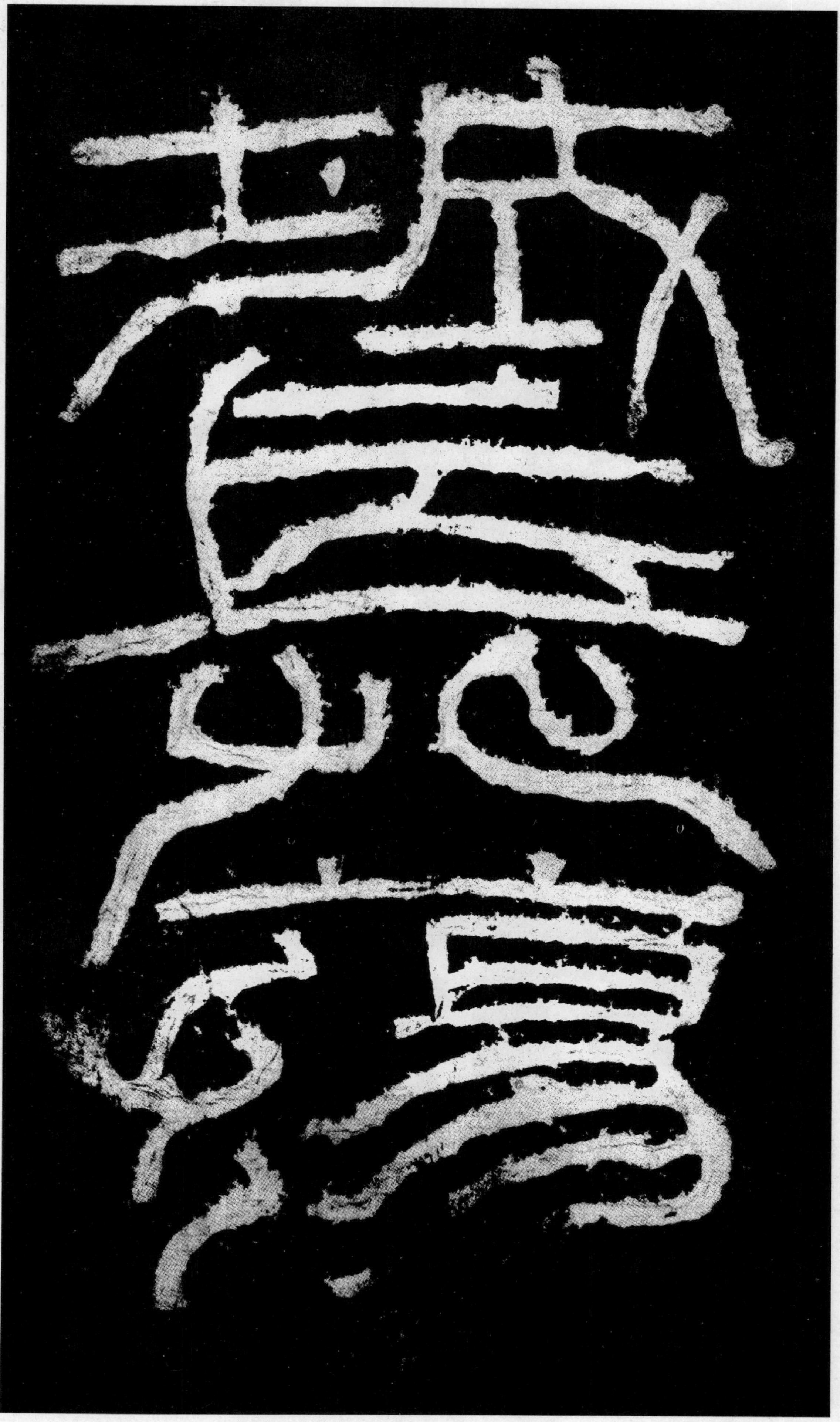

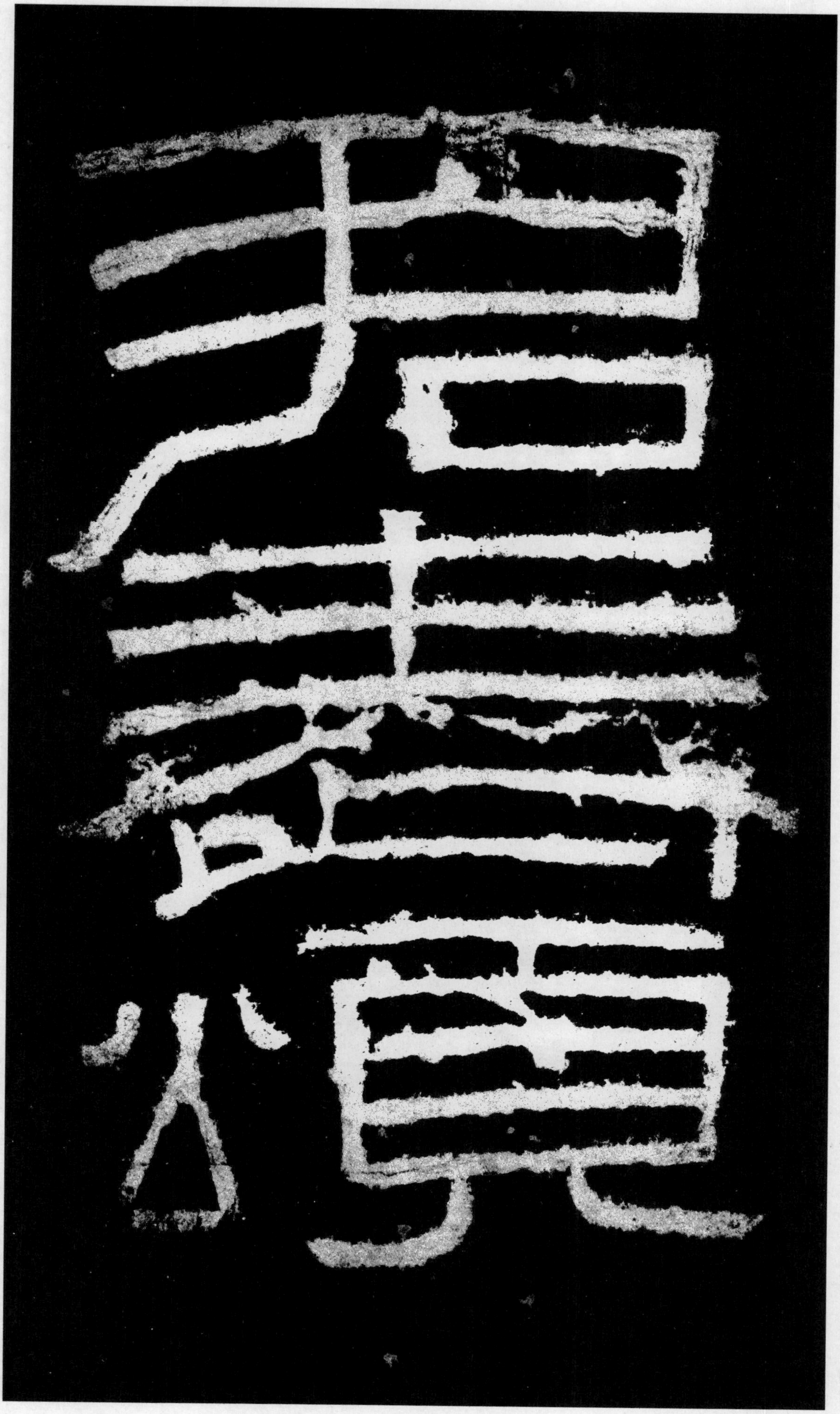

君諱遷字公
方陳留己吾

人也君之先
出自有周周

宣王中興有

張仲以孝友

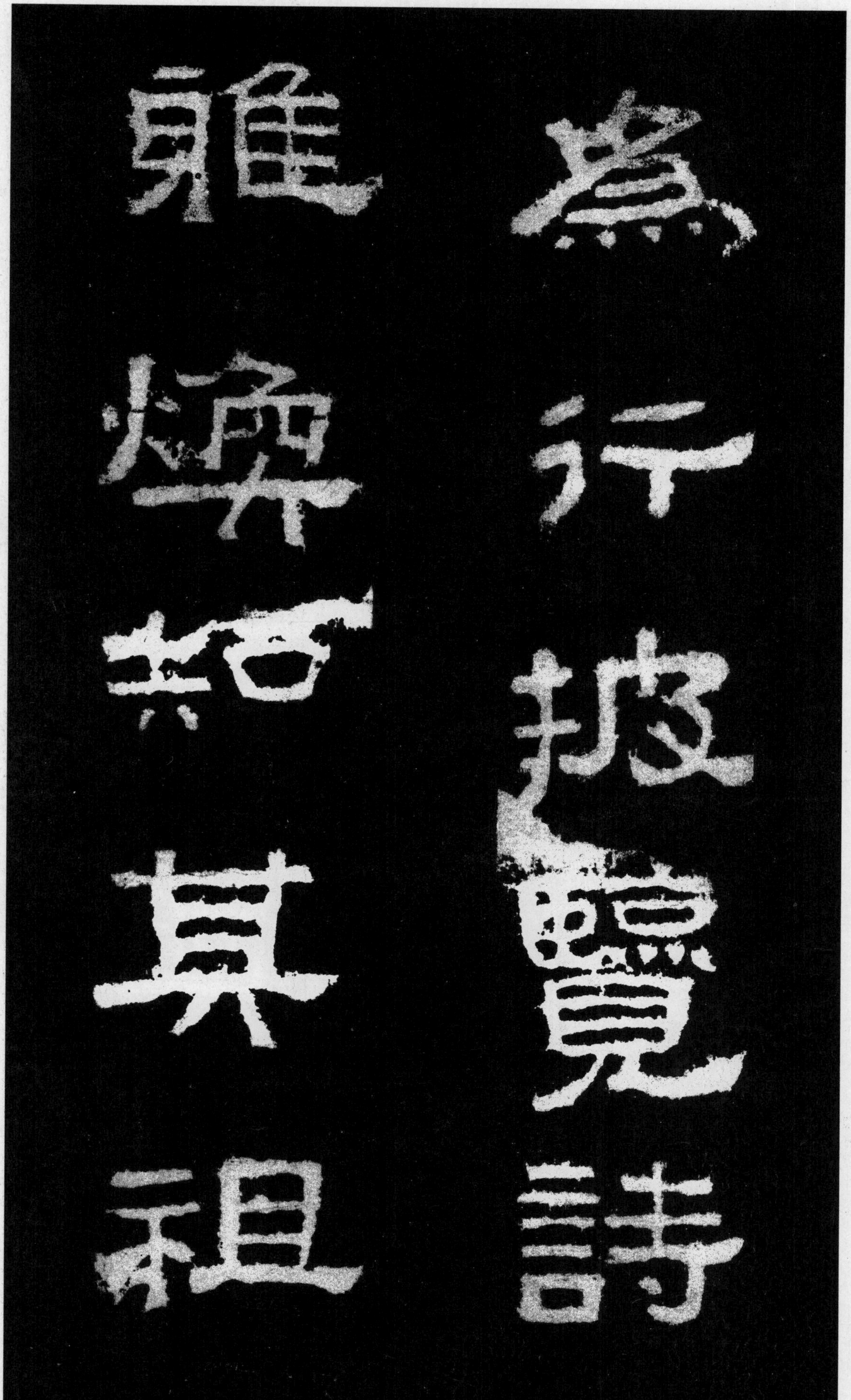
為行披覽詩
雖
其祖

高帝龍興有
張良善用籌

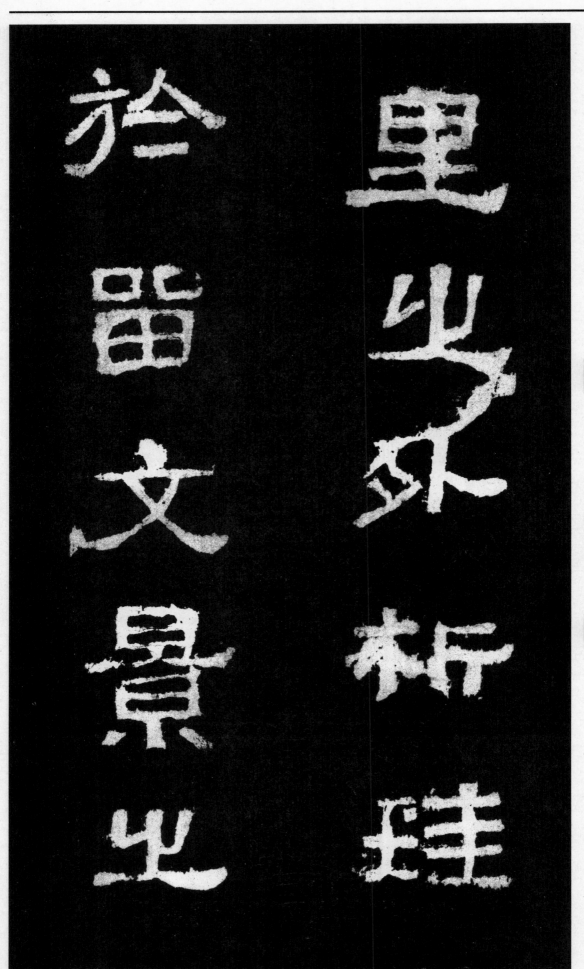

里之外析珪

於留文景之

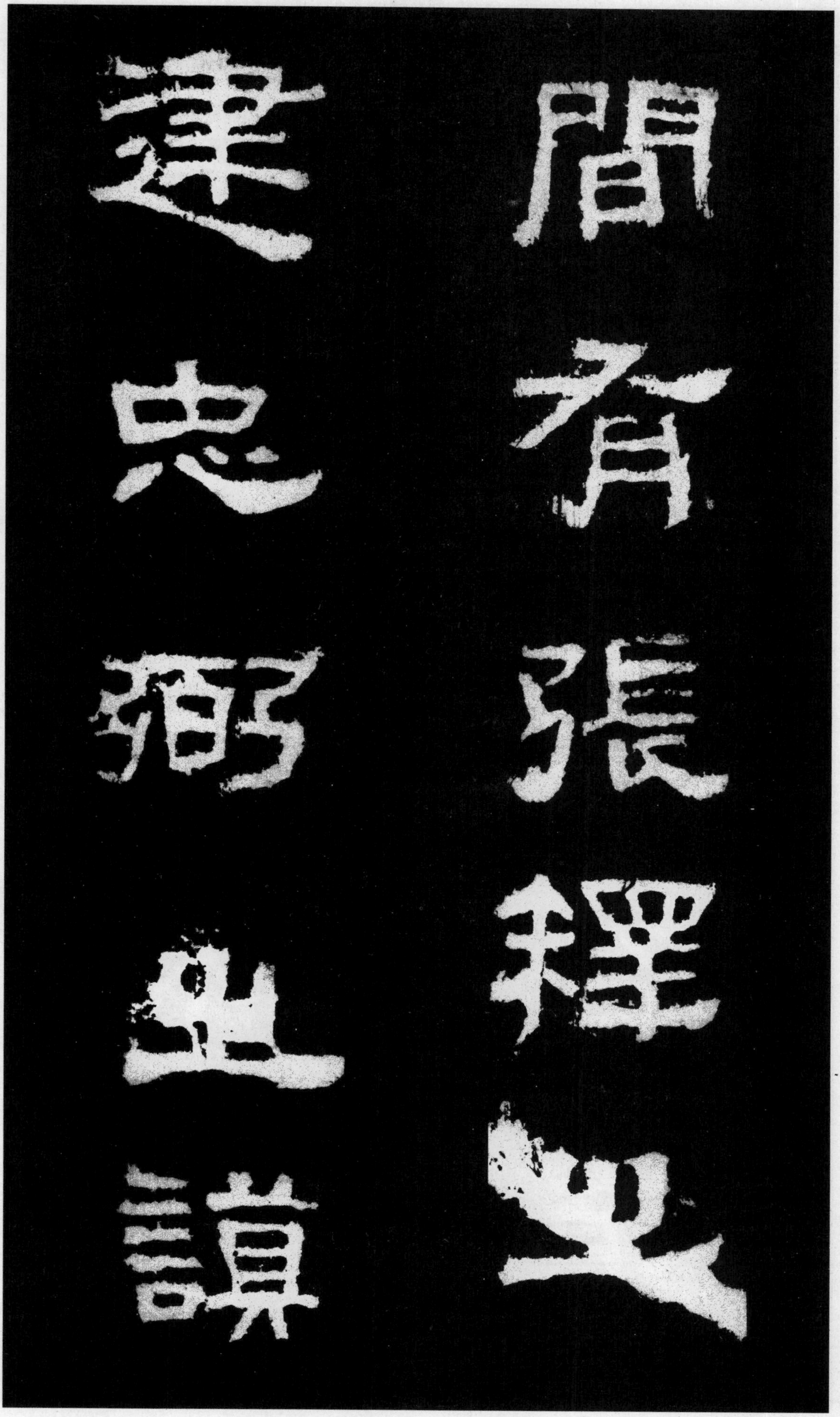

历代名家碑帖

爲遊上林間
禽狩所宥苑

令不對更問
嗇夫嗇夫事

對於是進者

夫爲令今過

爲書夫釋也
議爲不可苑

令有公卿之

才嗇夫喋喋

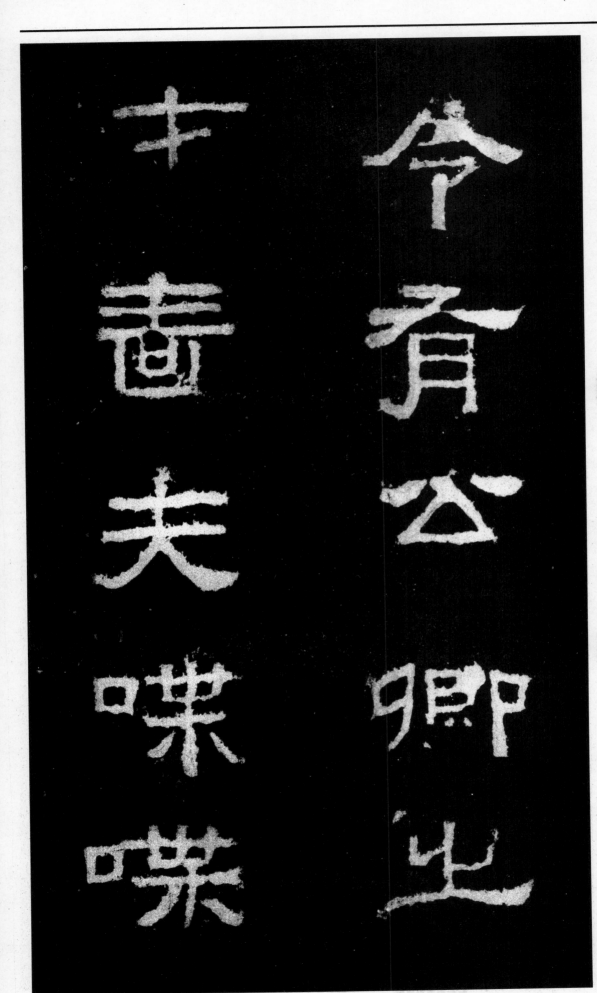

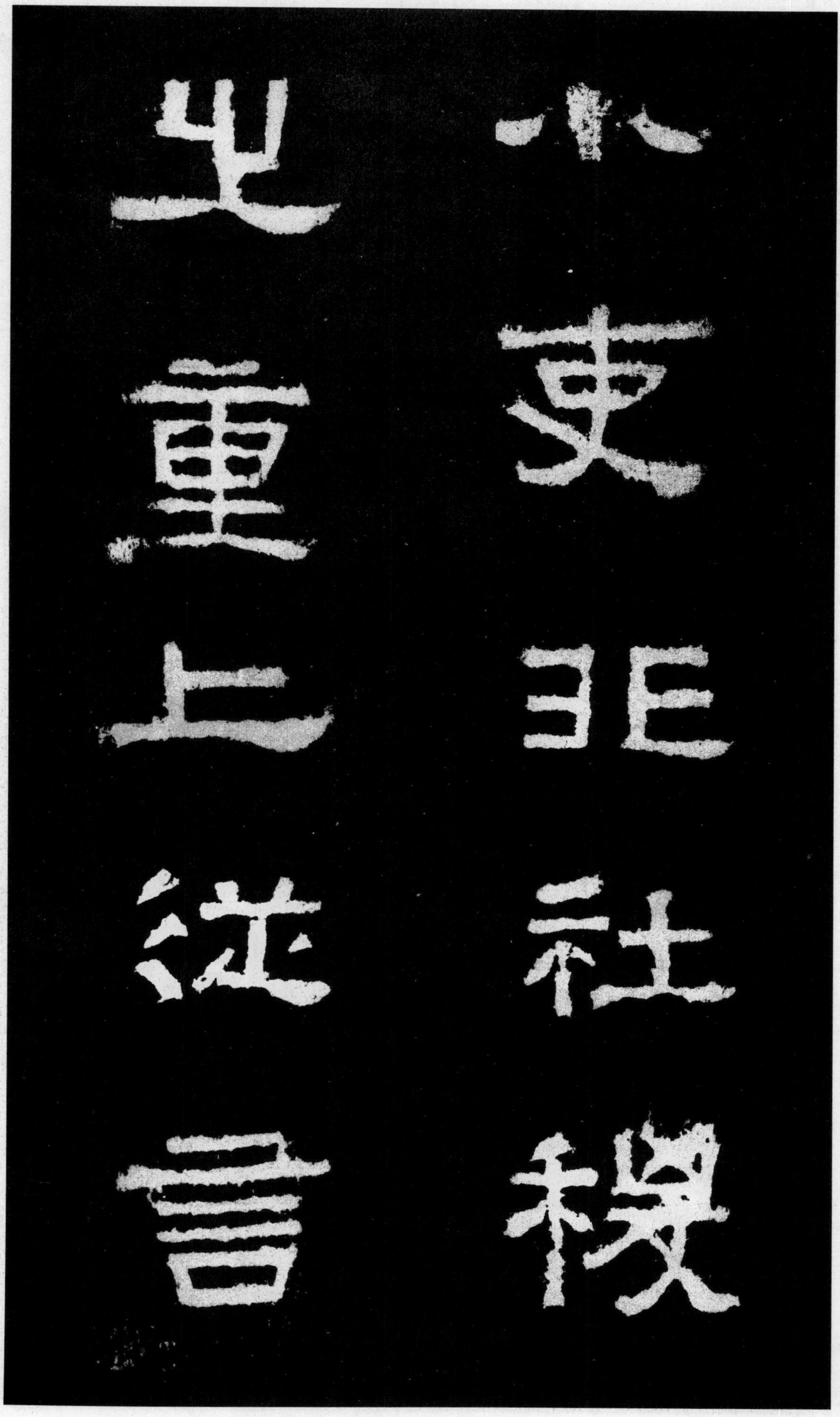
小吏臣社稷
也重上從言

孝武時有張

騫廣通風俗

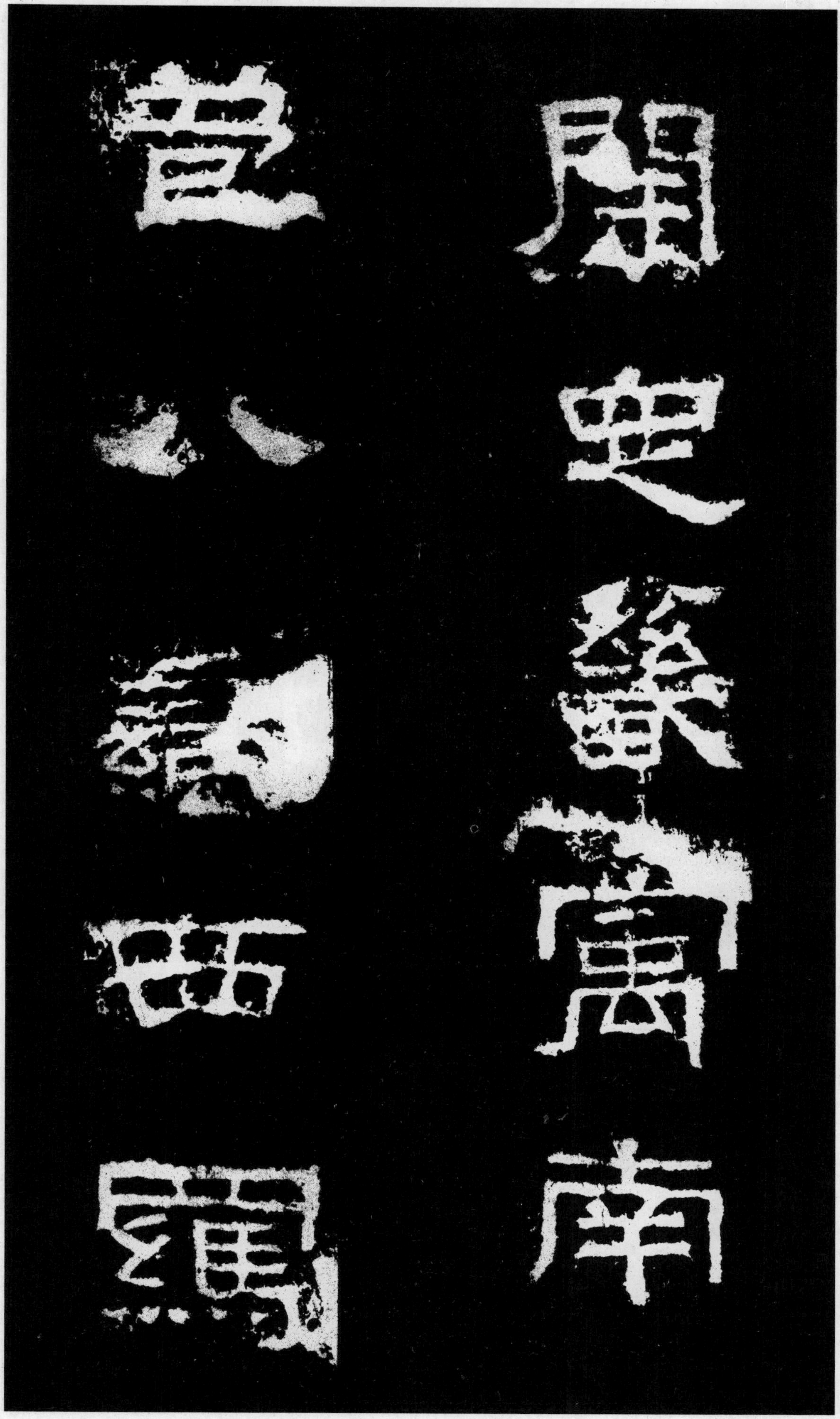

六戎北震五
狄東勒九夷

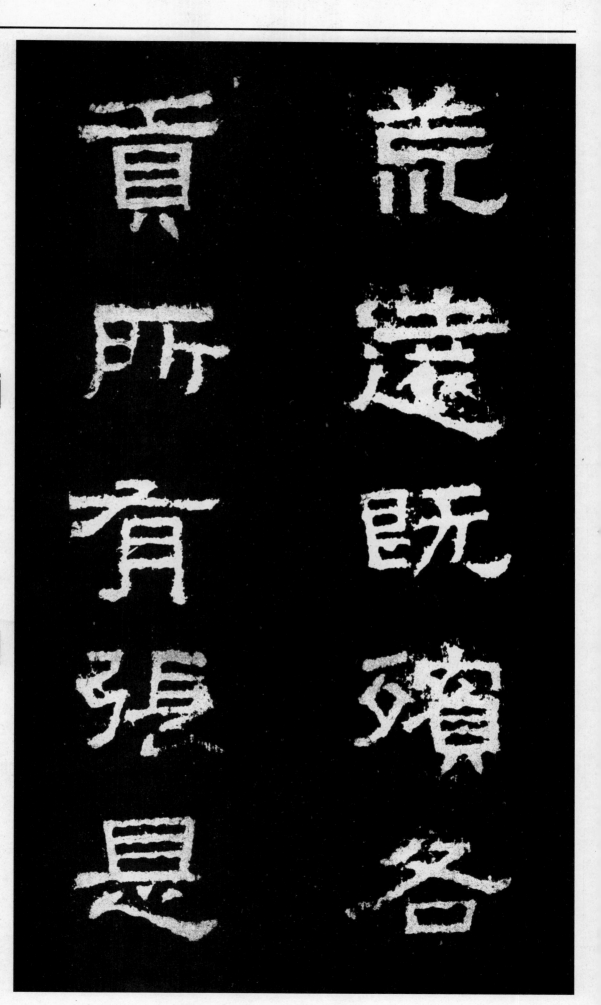

荒遠既殯各

貢所育殞是

輔漢世載其

德爰既且於

历代名家碑帖

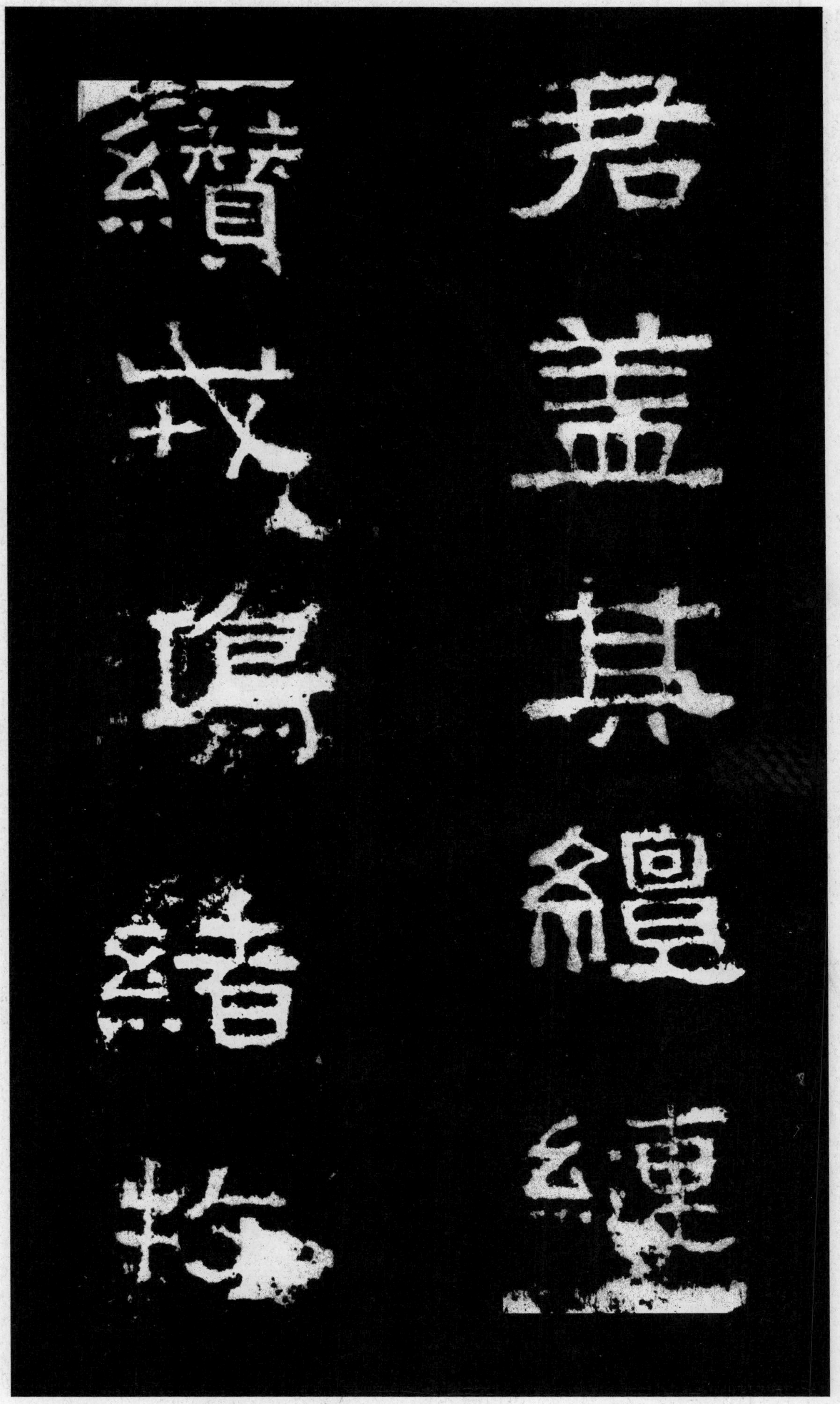

守相信不讀

高閭孝弟於

家中審於朝
治京氏易聽

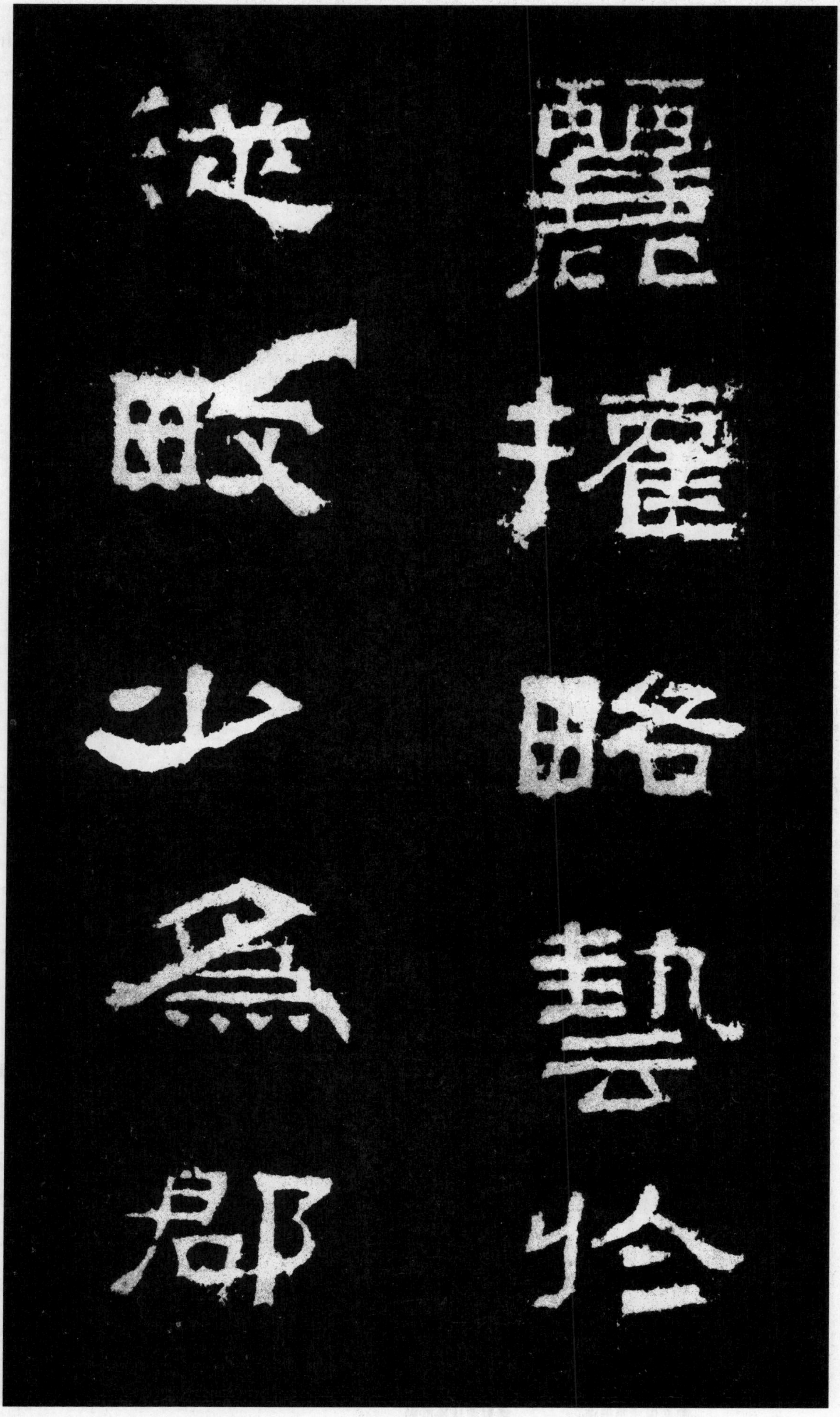

汉·名家碑帖

吏隱練職位
常在股肱數

為世

細 事

間 藏

嚴

拜

汉·名家碑帖

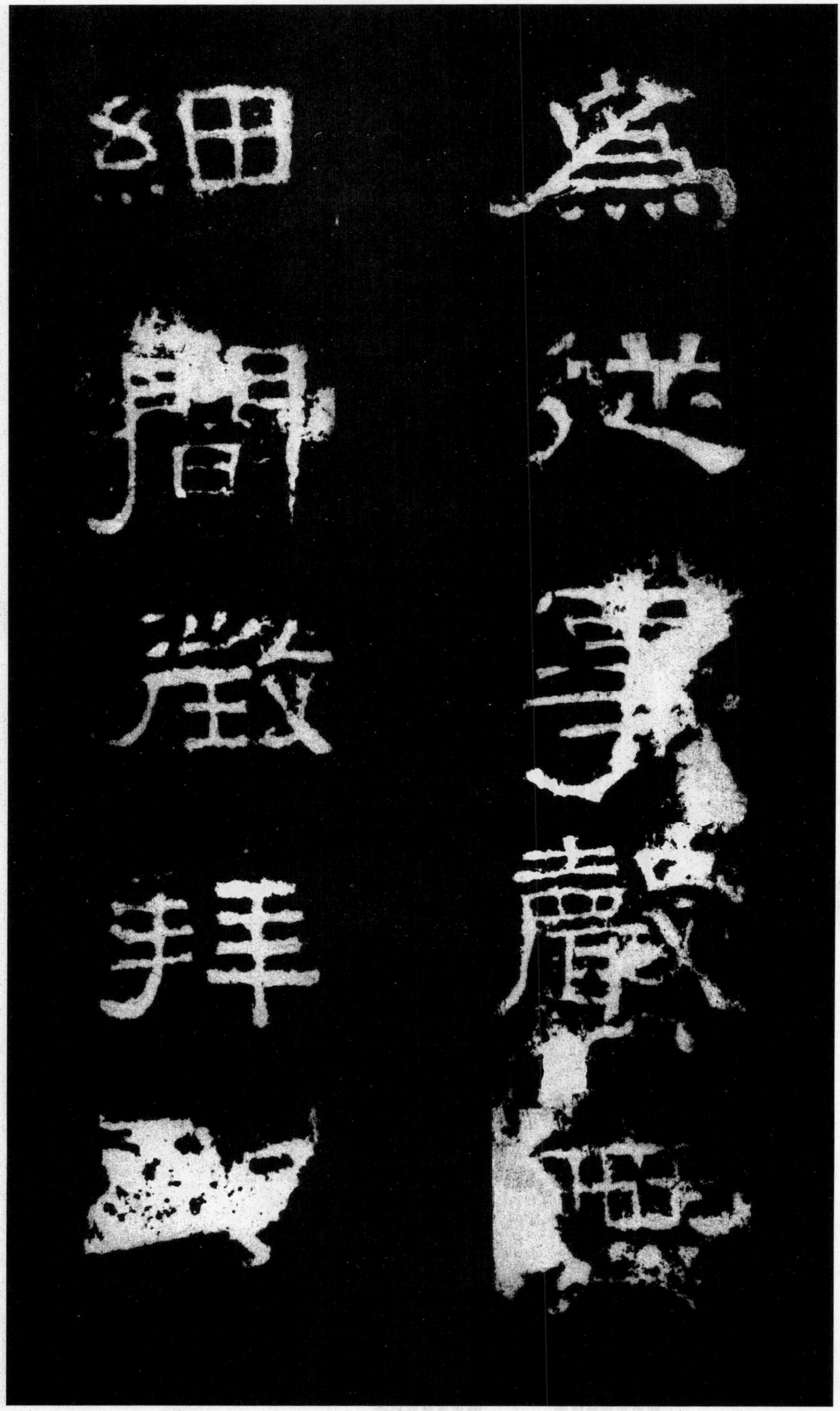

中除穀城長
蠶月之務不

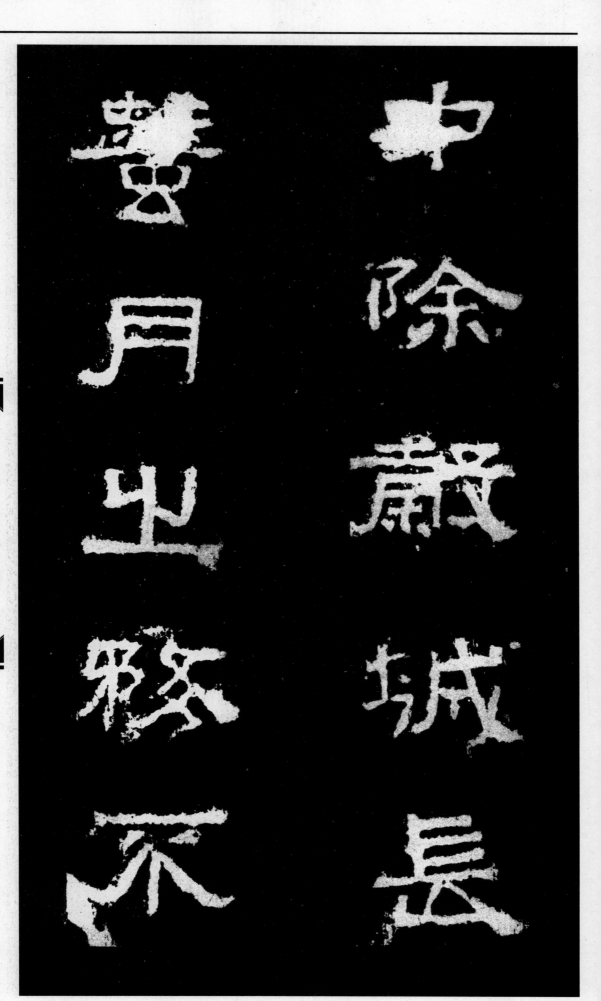

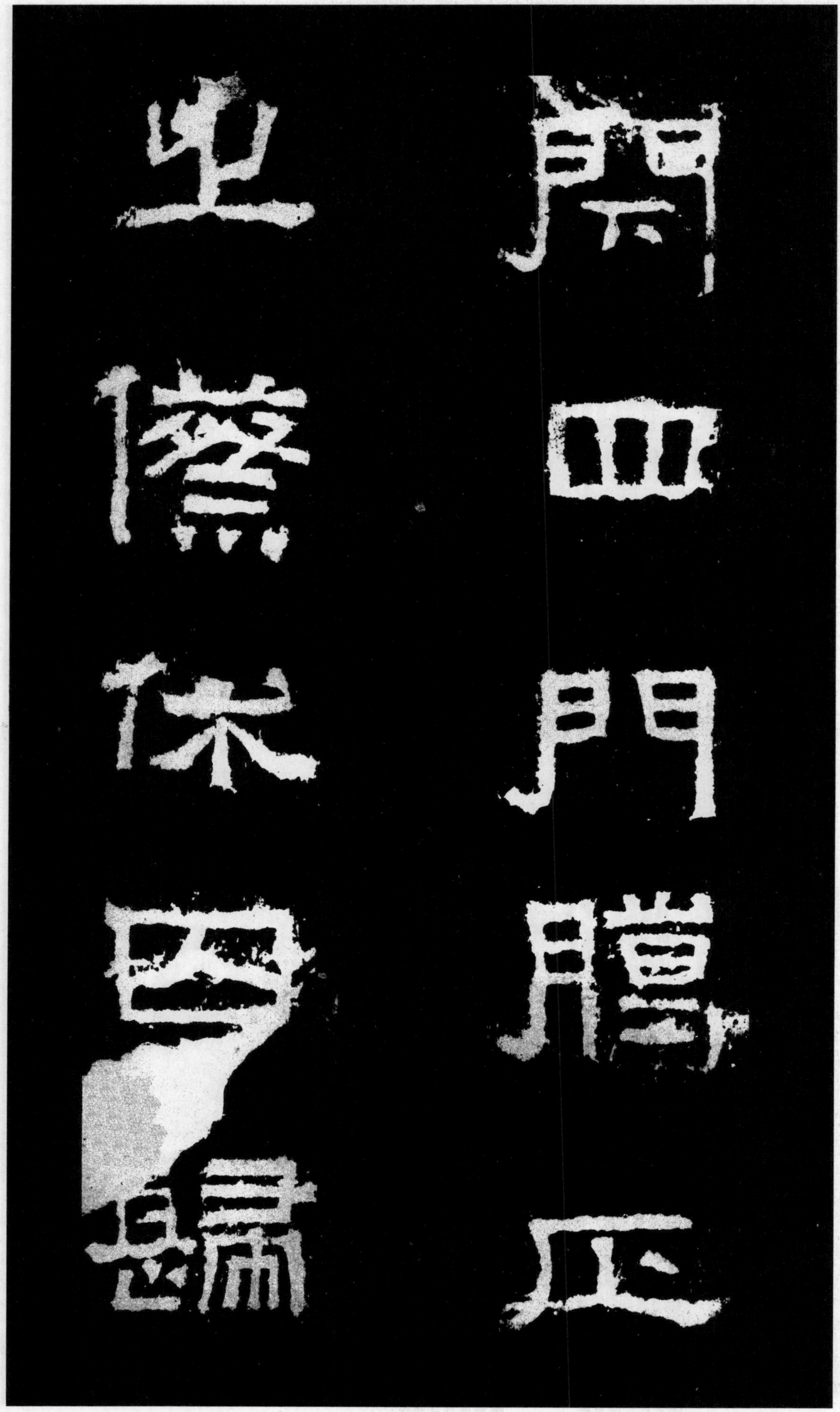

賀八月筭民
不煩於鄉隨

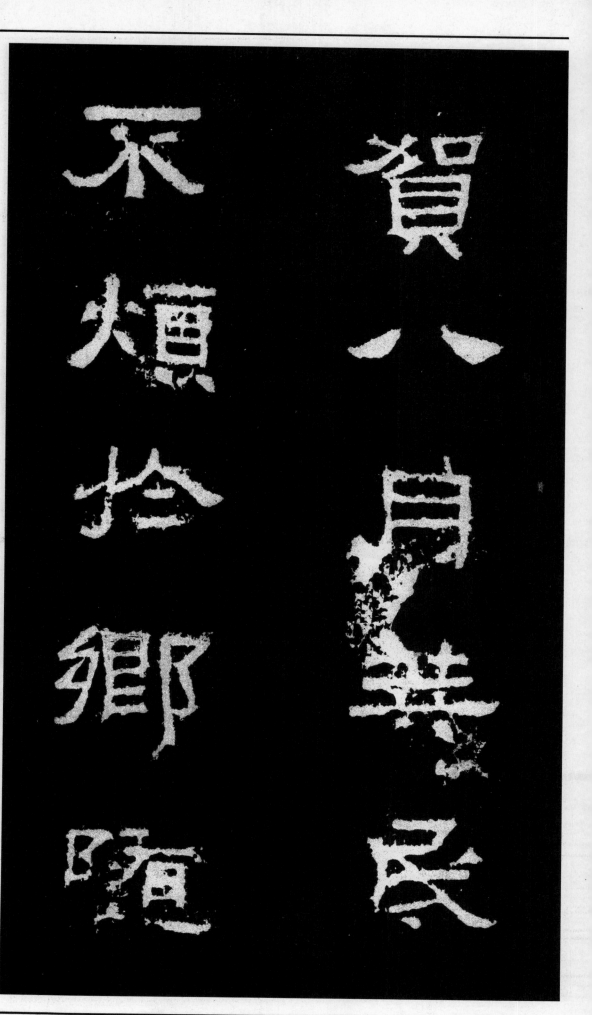

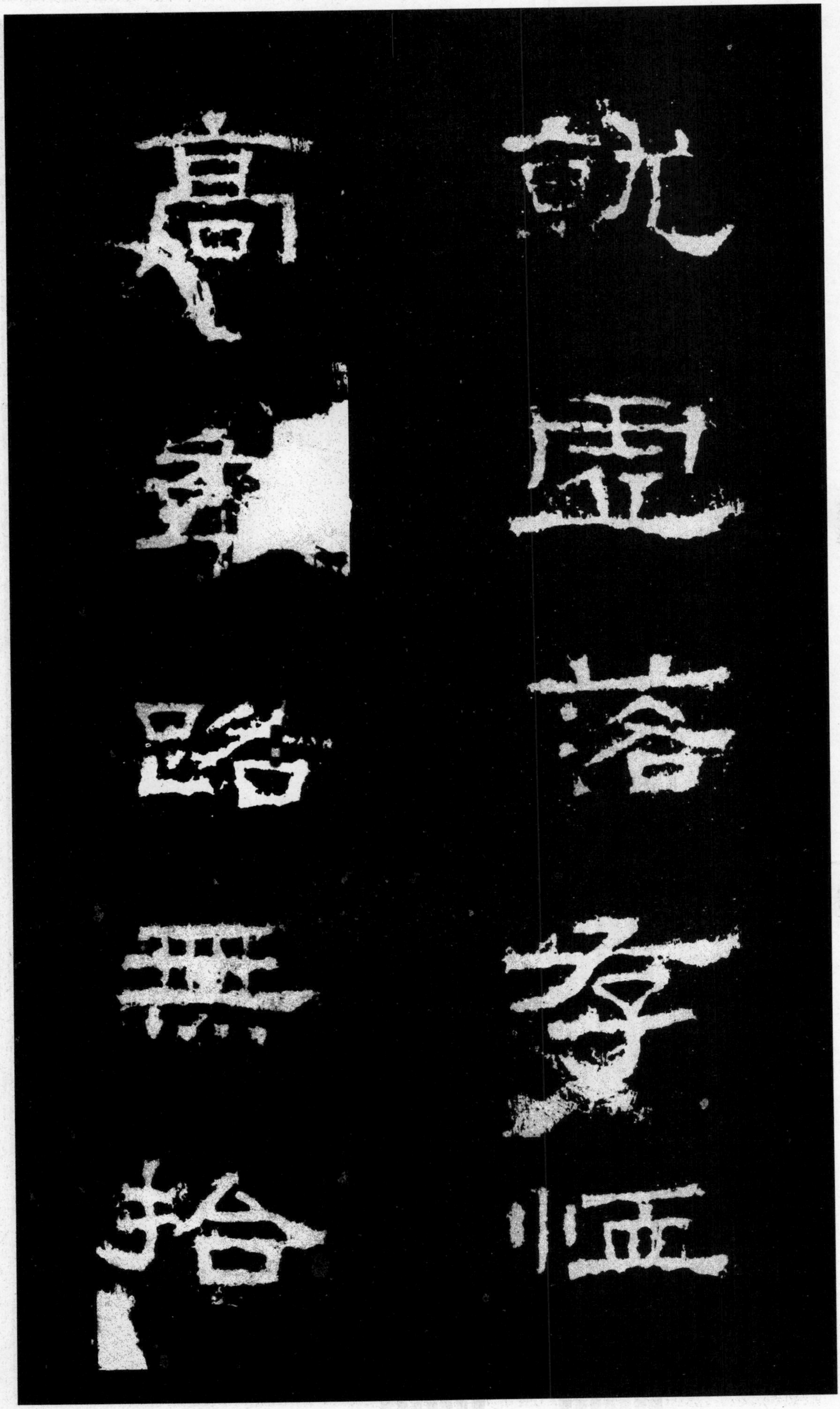

遺犁種宿野

黄巾初起燒

王
市斯縣
獨金子賤孔

肅寘寬詩云

愷悌君隆其

思東里潤色

君垂其仁邵

伯分陕君懿
于棠晋阳珮

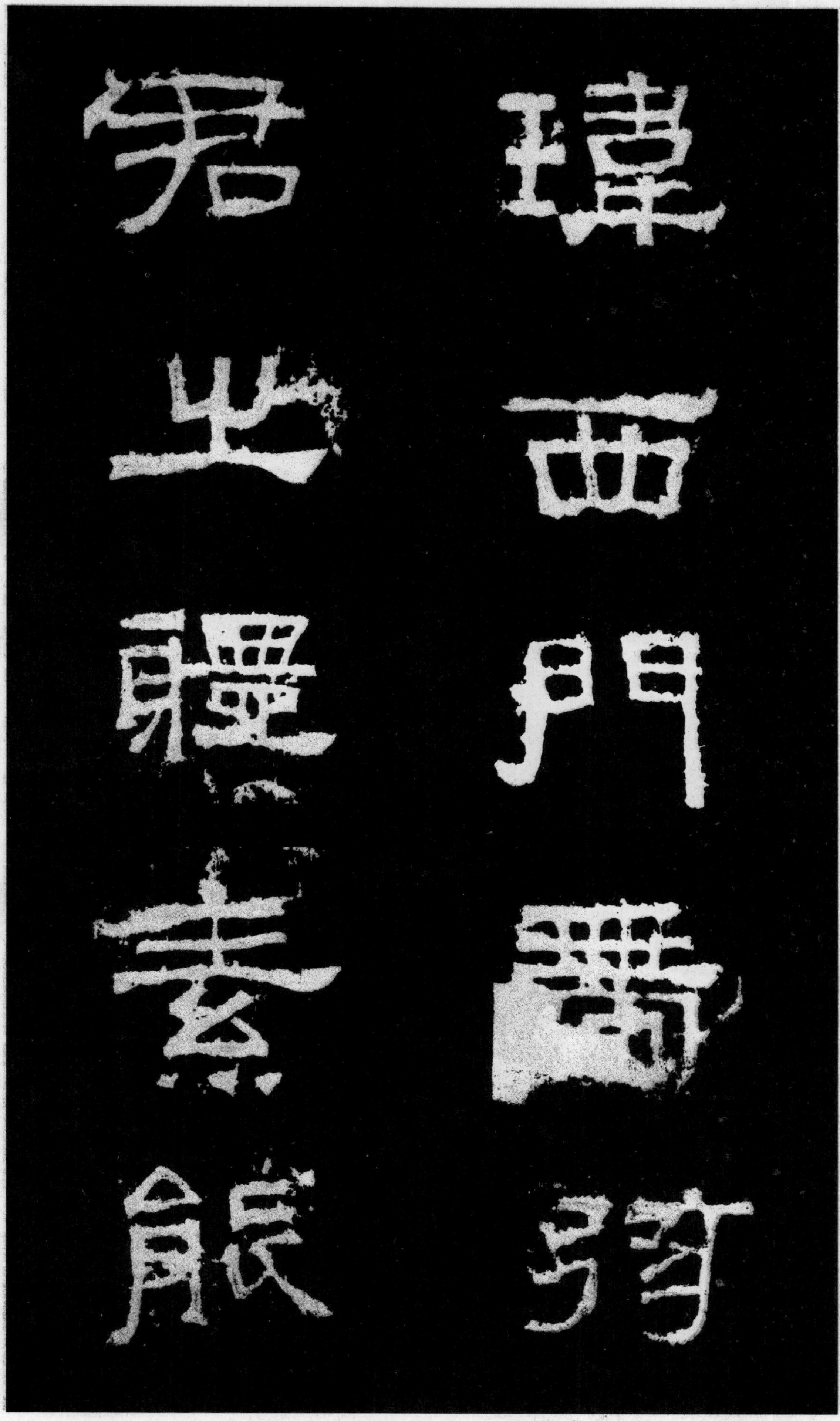

雙其勛流化
八基遷蕩陰

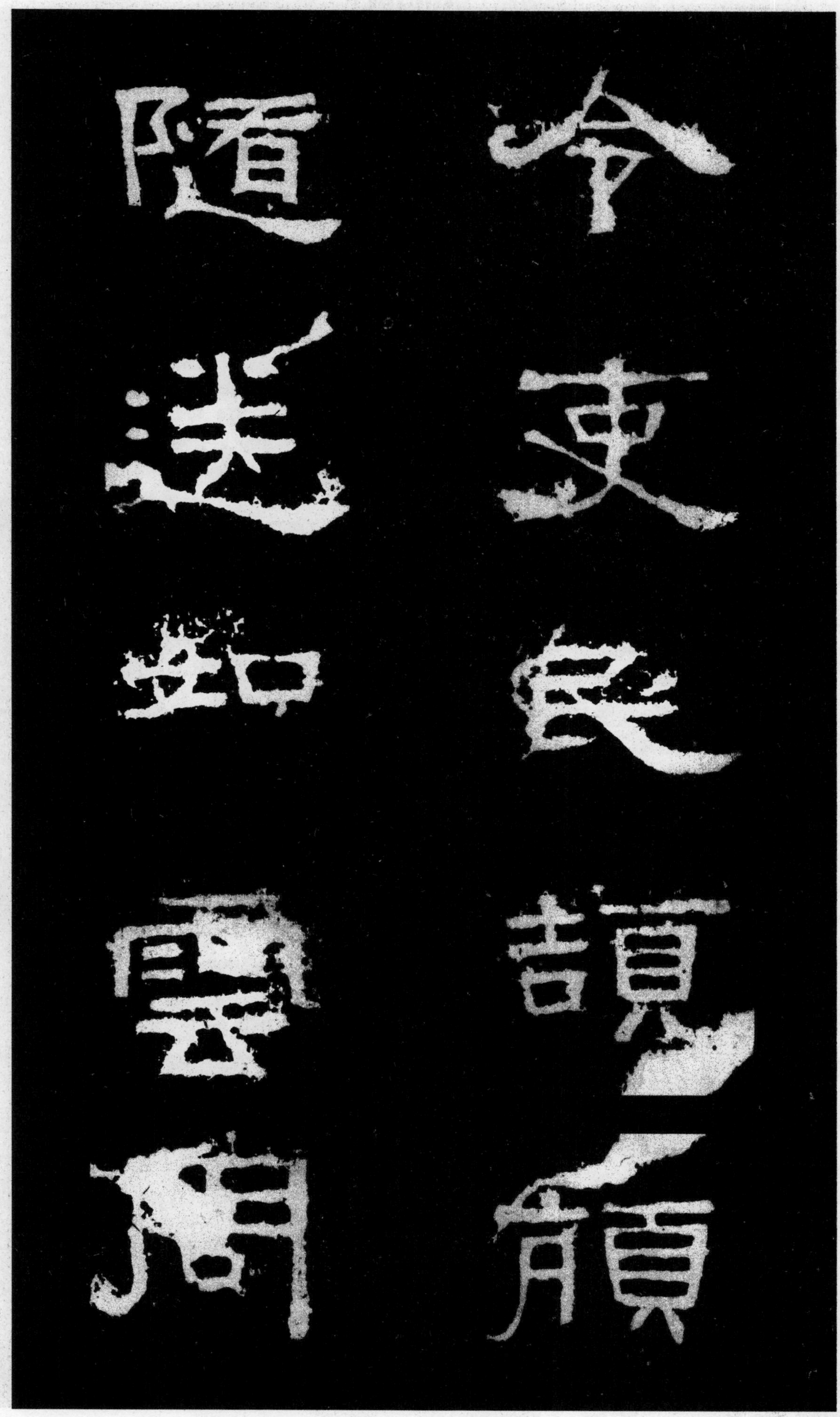
令吏良頡顏
隨送如雲周

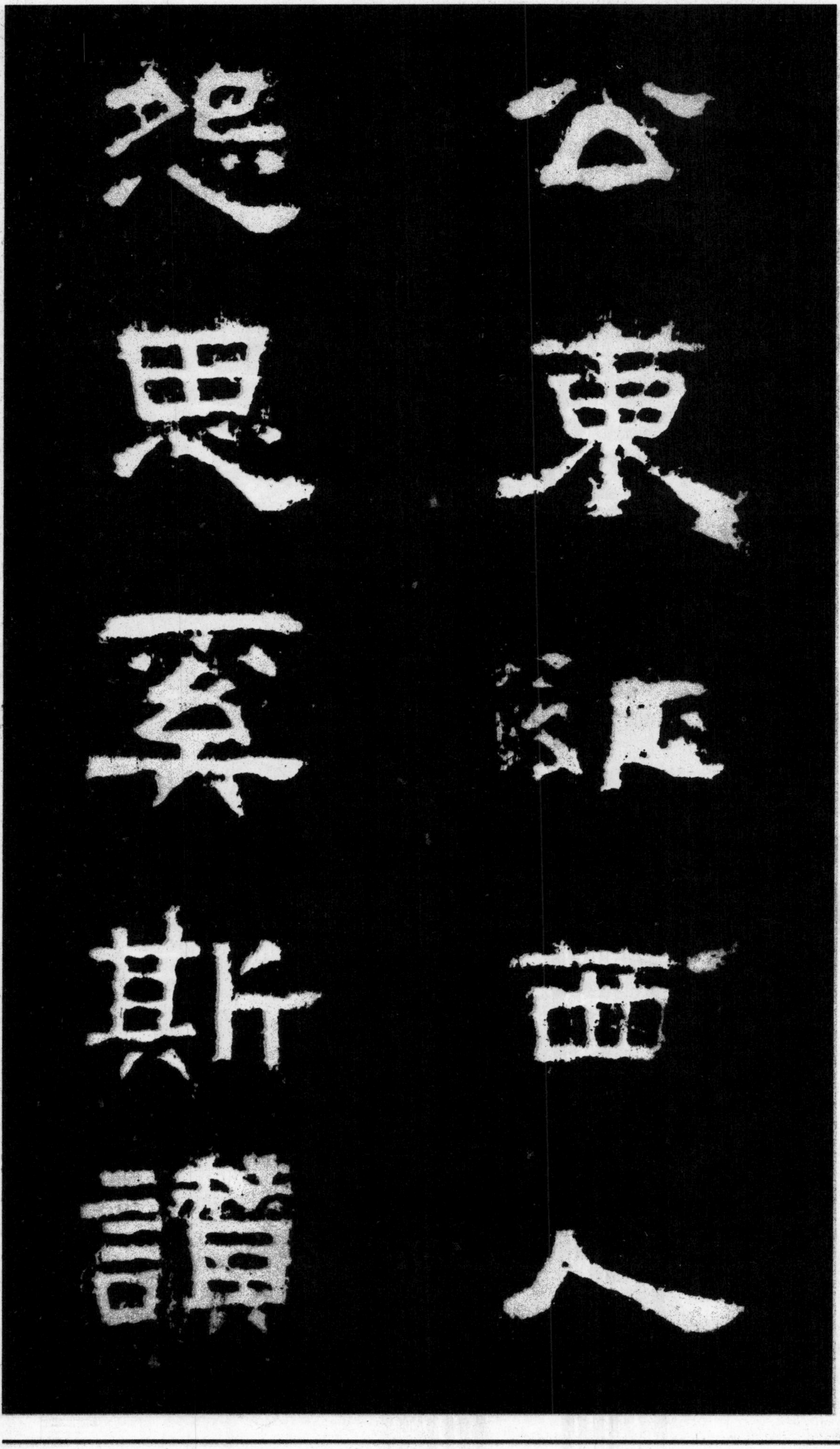

功不書後無
述焉於是刊

石豎表銘勒

萬載三代以

來歸遷猶近
詩云舊國其

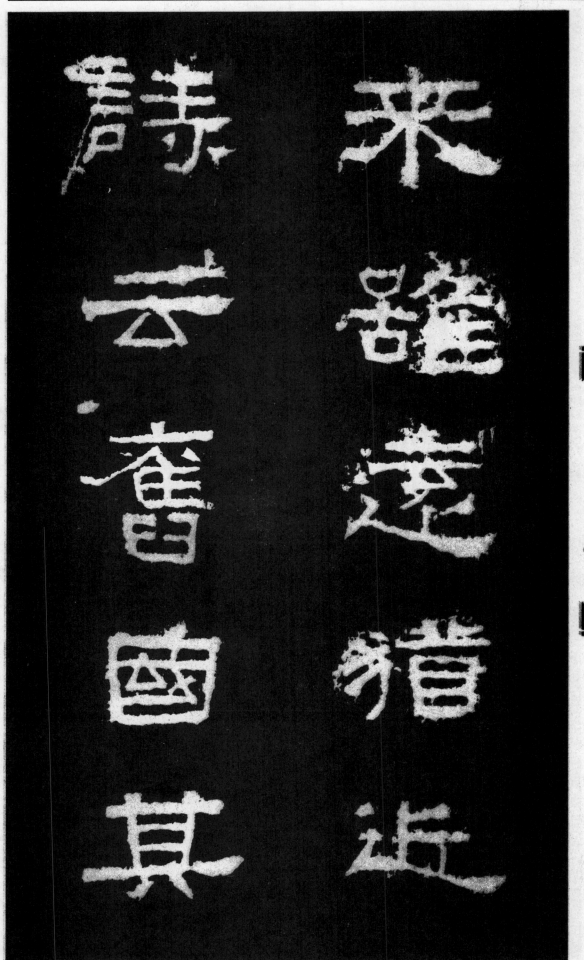

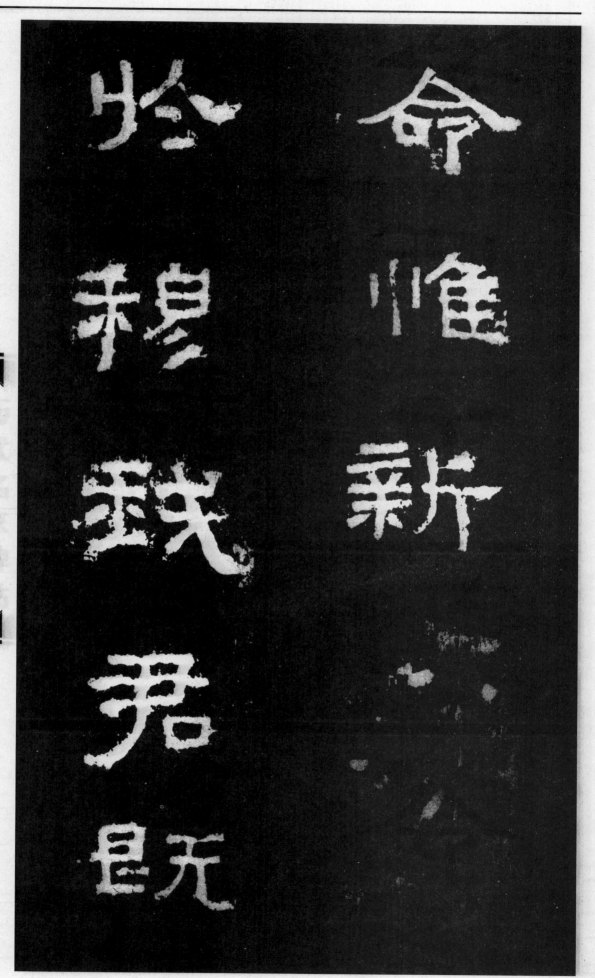

命惟新

於穆我君既

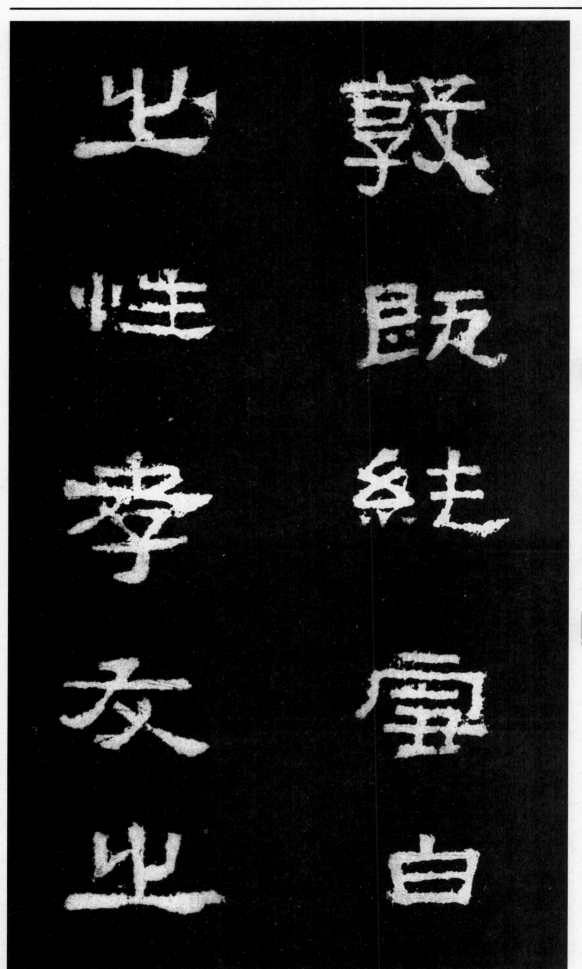

敦既純虛白

也性孝友也

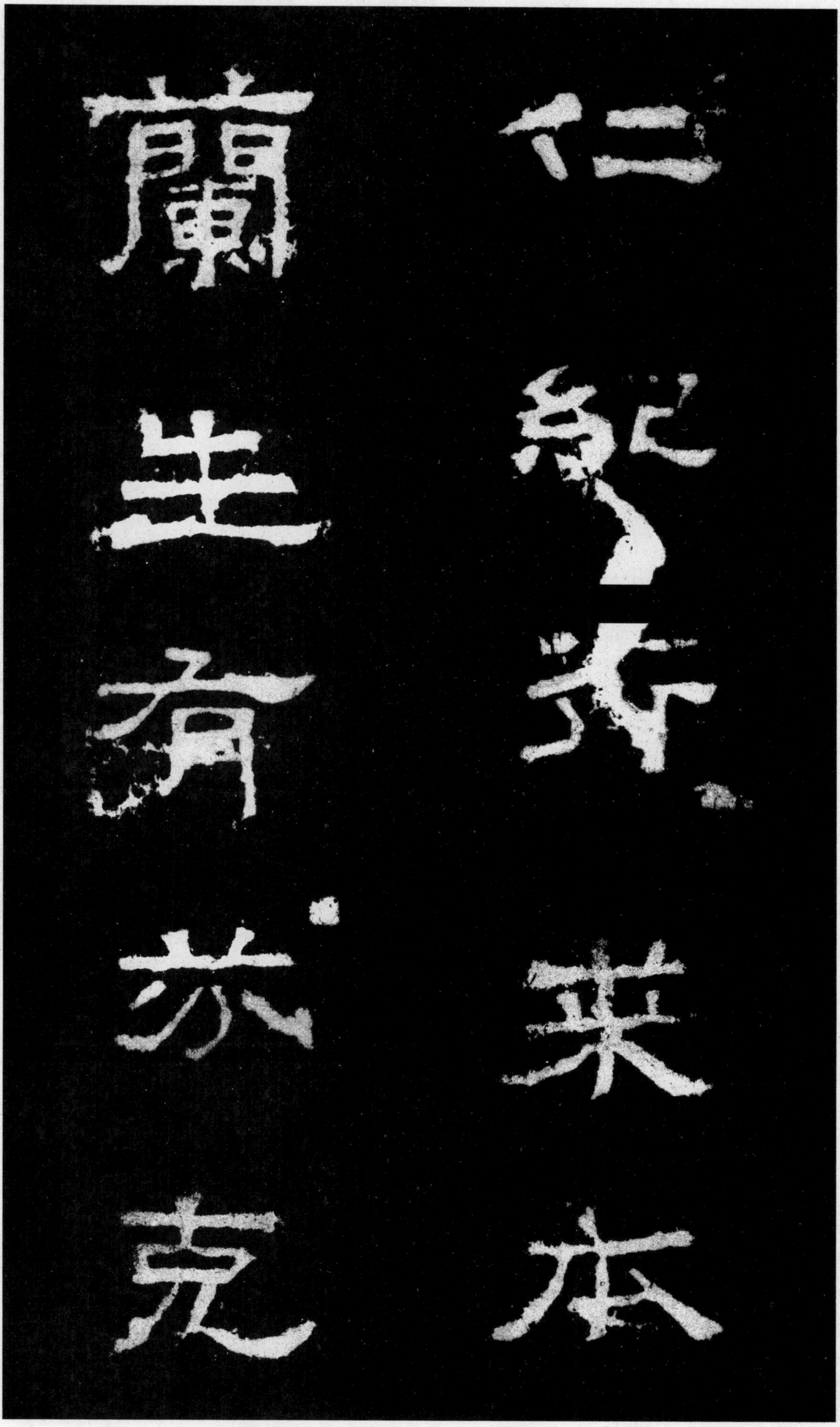
蘭生有芬克

岐有兆緌流

有飭利器不

历代名家碑帖

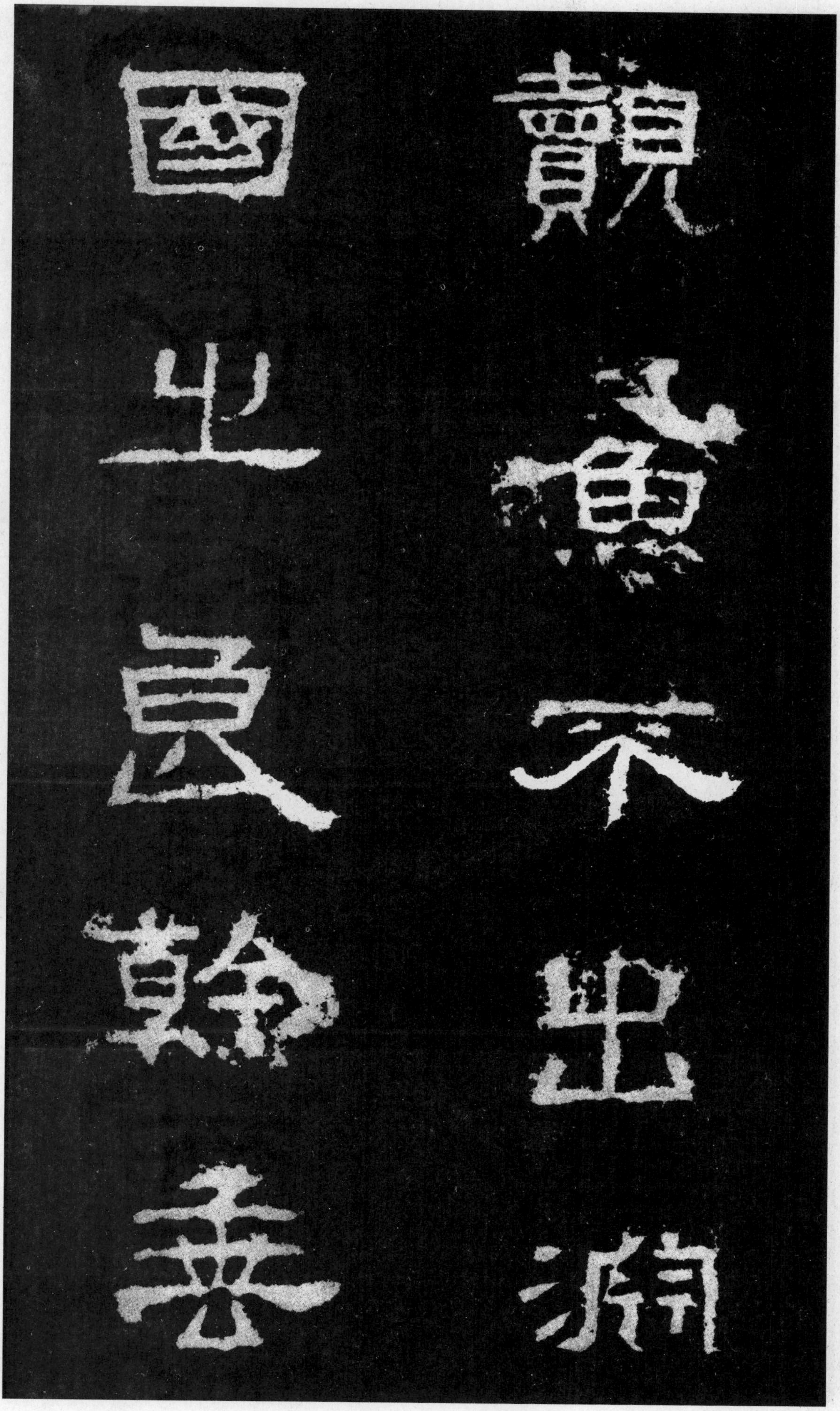

棠樹溫溫恭

寝疾民瘵沛

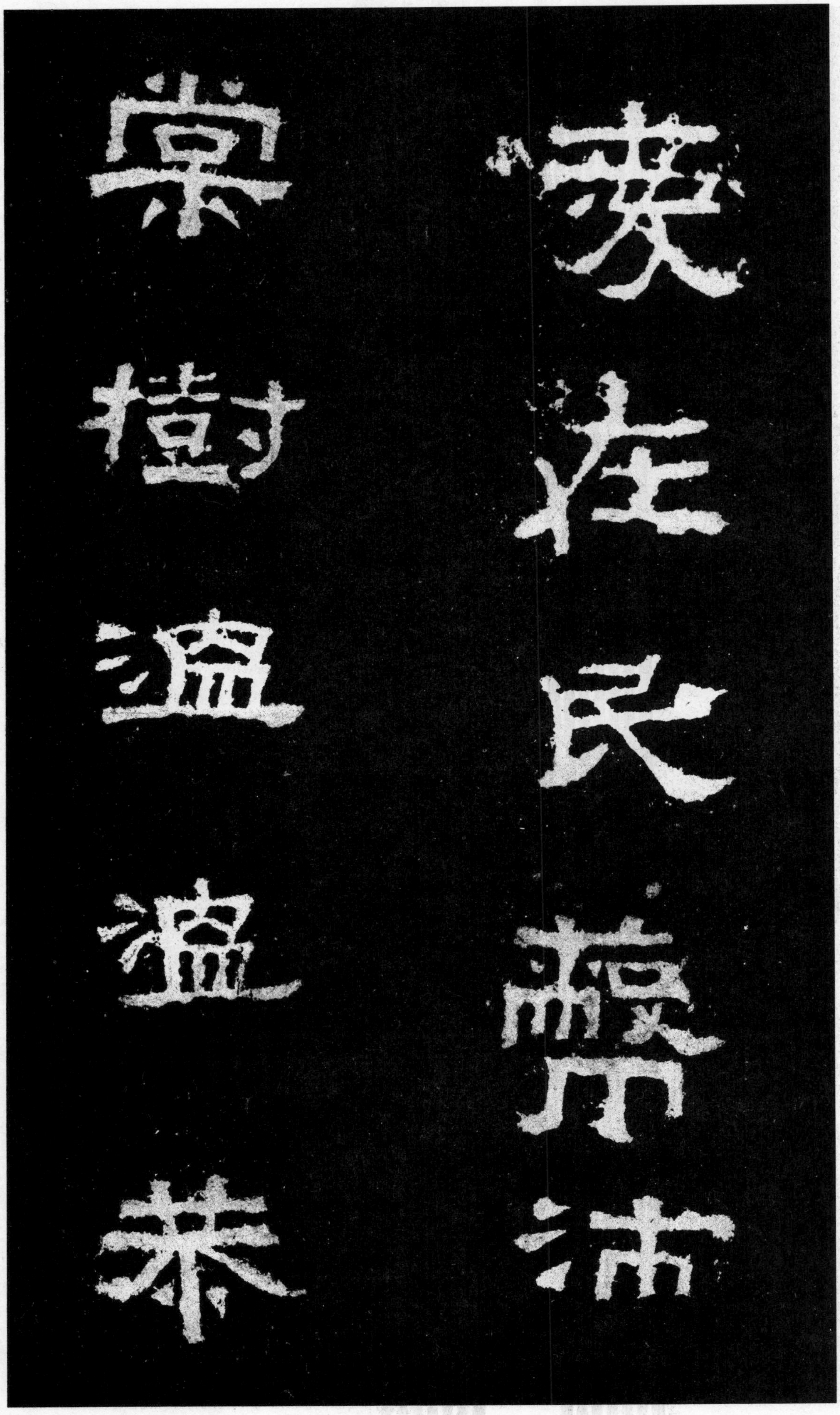

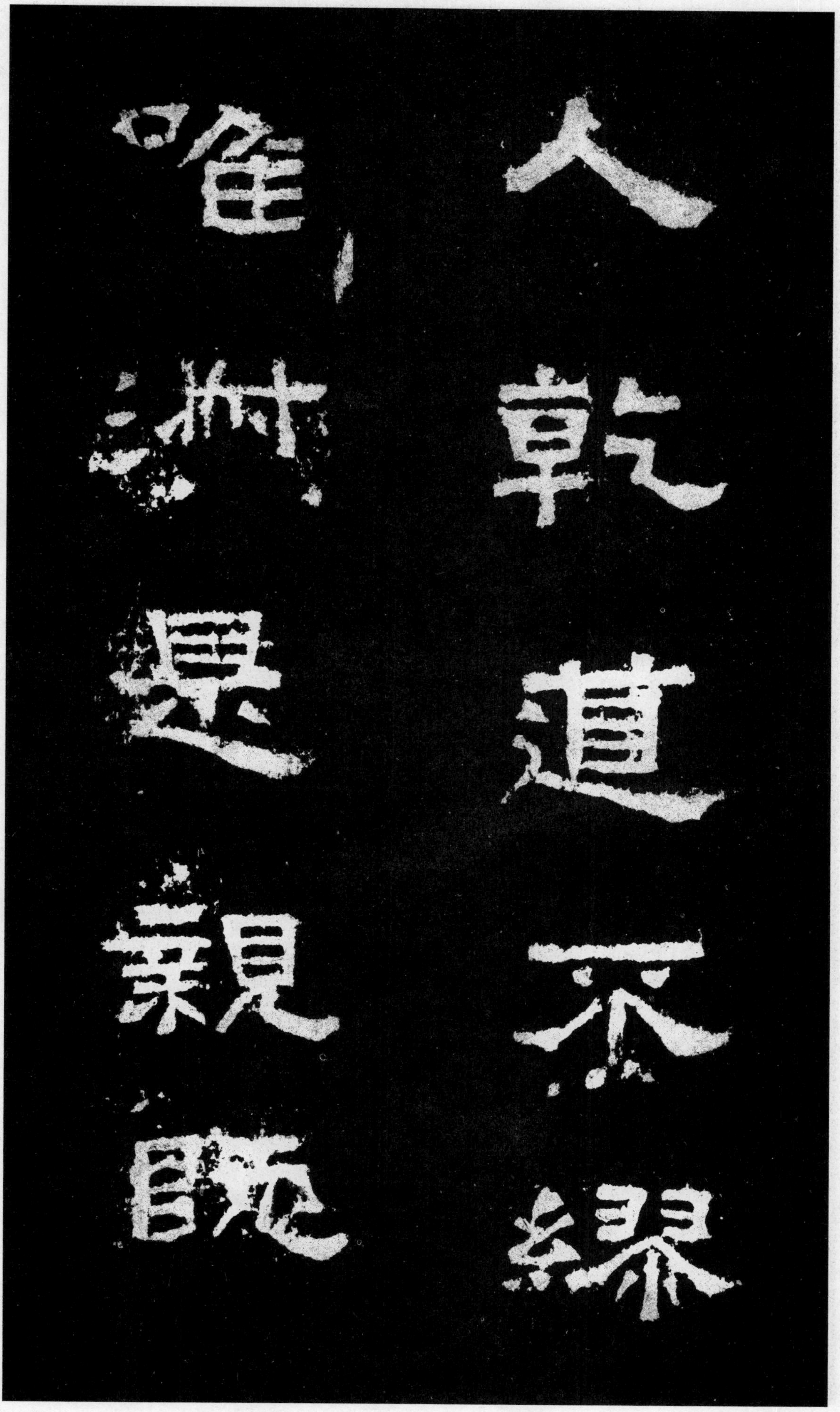
人乾道不繆
唯淑是親既

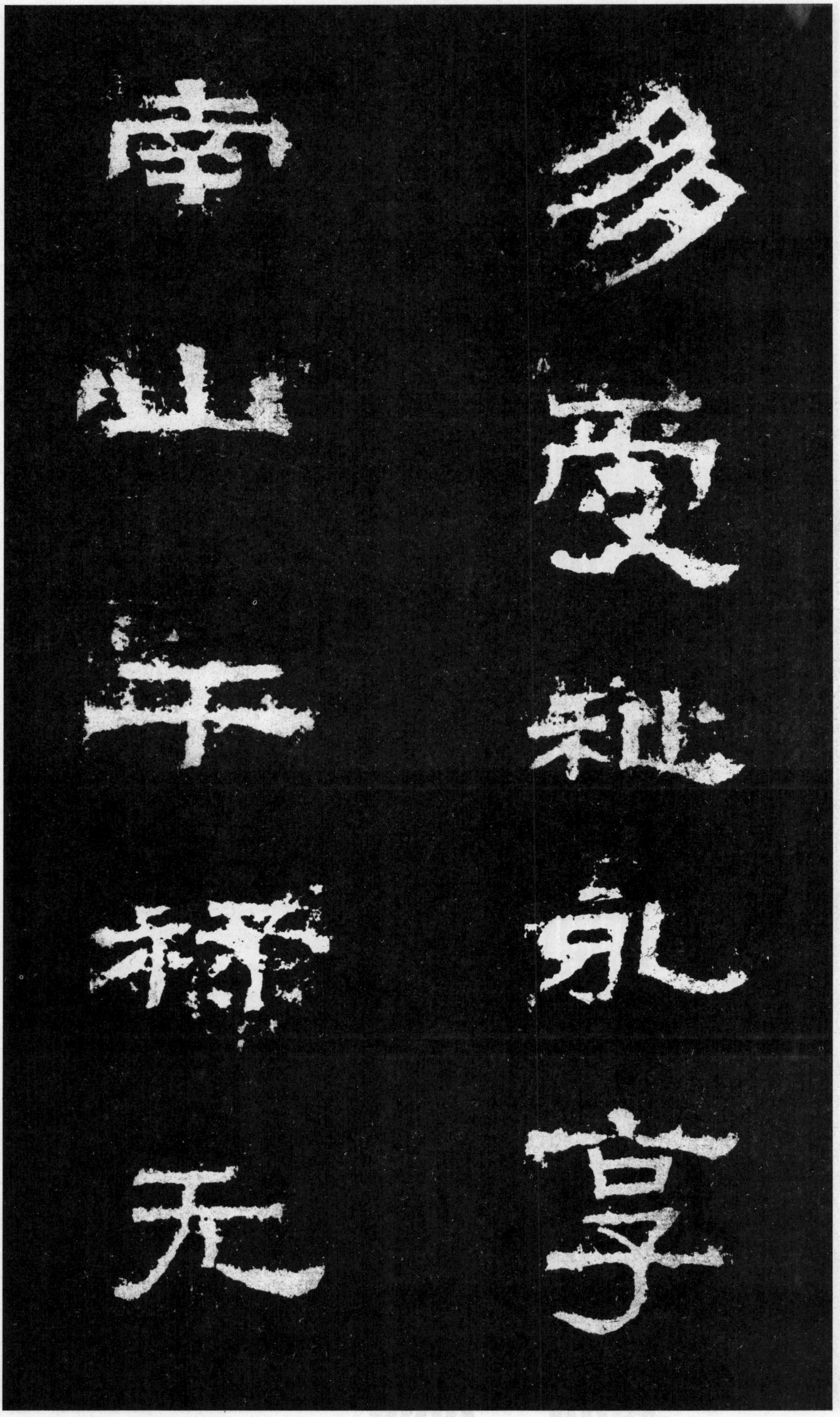

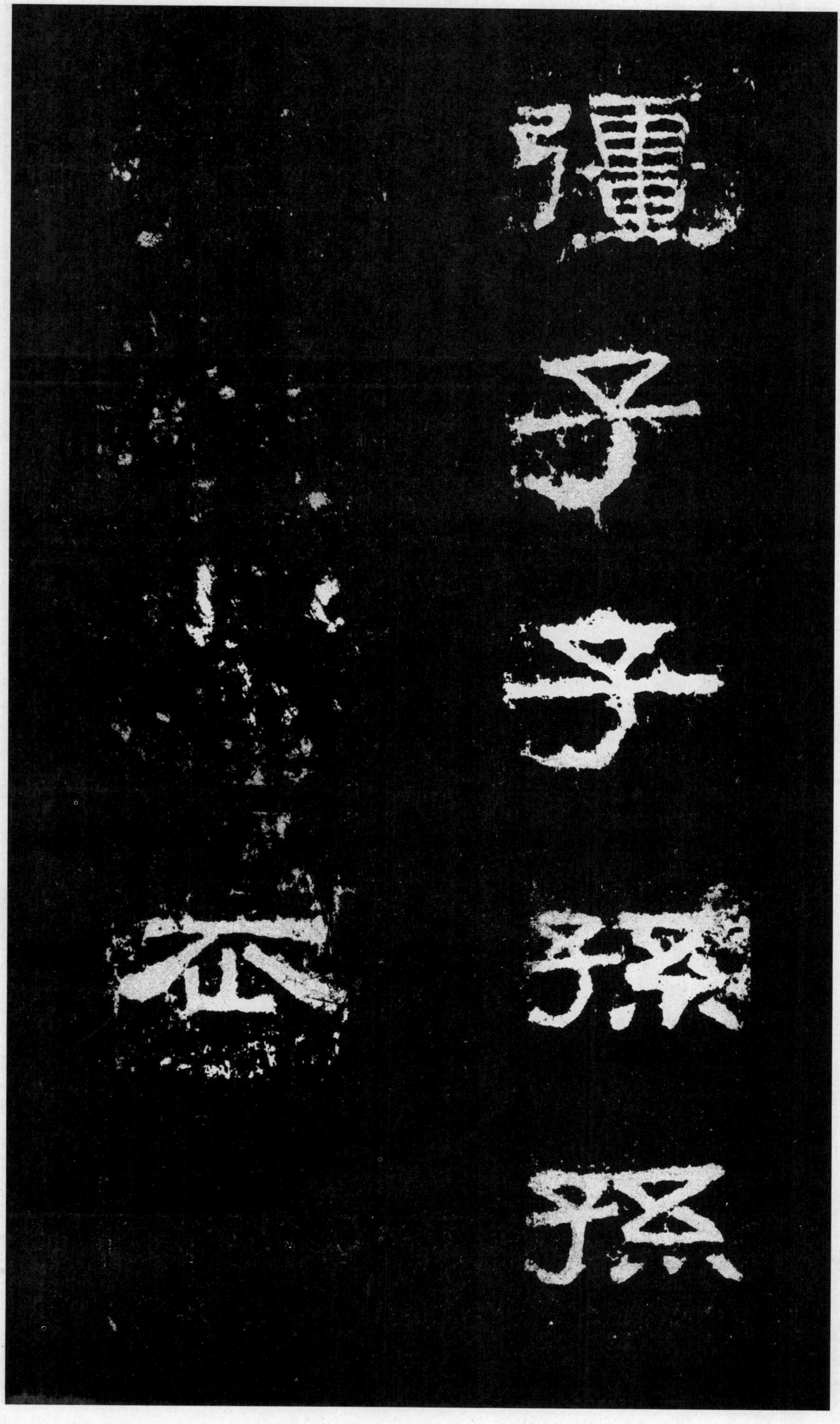
彊子子孫孫

惟中平三年
歲在攝提二

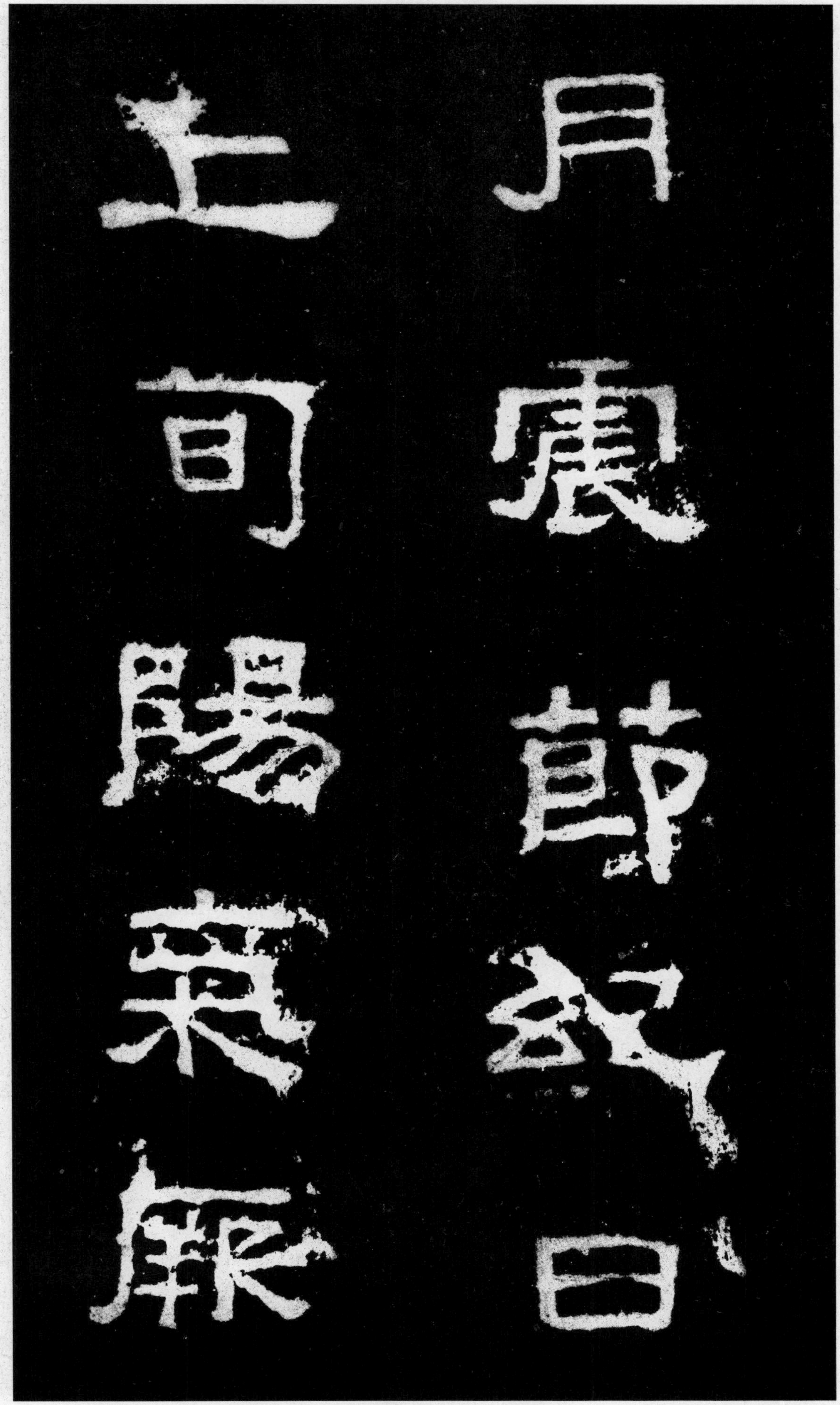
月庚節
日
上旬陽氣

析感思舊君
故吏韓壽

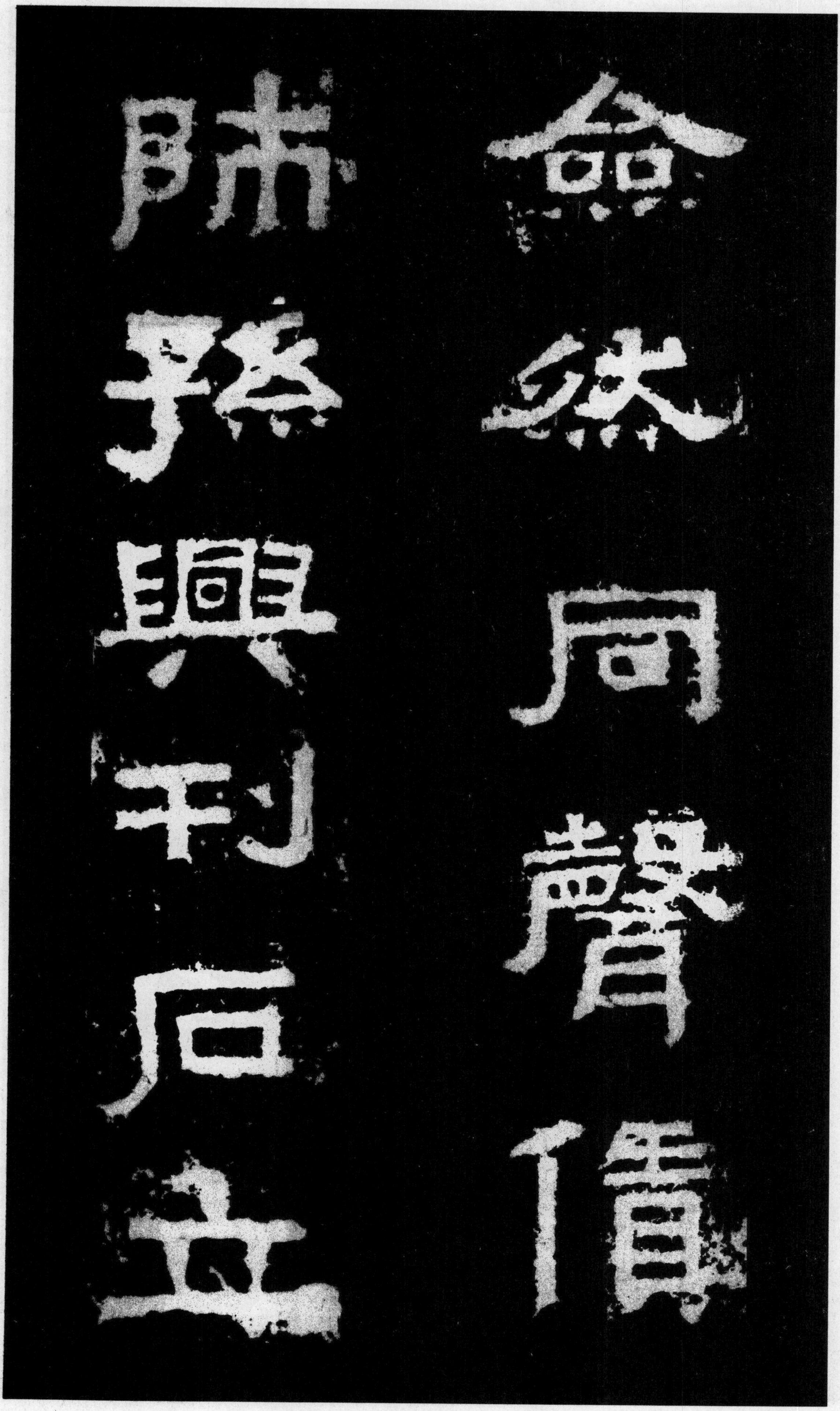
命然同聲價
師孫興利后立

表示後昆

共享天祚億

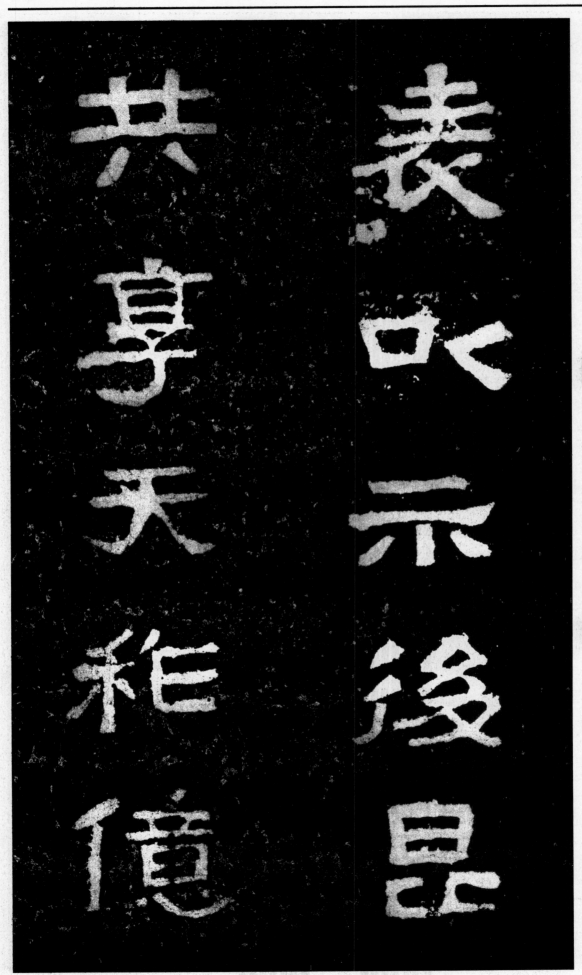

載萬年

说明

我国书法艺术有着悠久的历史和独特的风格，人才辈出。

碑帖是中国古人，因记人、记事或抒怀而书刻到碑石、摩崖、木板之上的书法文字。后经传拓成册，得以广为流传的一种文献记录和书法艺术品。碑帖除了书法艺术的欣赏之外，其内容也包含着史料价值，这种史料价值往往可以弥补历史研究中的资料缺失，同时也可以印证某些历史事实。因此碑石就有多重性的艺术内容，碑帖是碑和帖的合称，实际『碑』指的是石刻的拓本，『帖』指的是古代著名书法家的墨迹汇集成册，供喜书法之人欣赏临摹。从碑帖中所表现出来的书法艺术之美，在整个中国艺术史上占有极为重要的地位。

本套丛书所选的碑帖均为经典之作，每部碑帖都保持了原有的古帖风格，反映出不同时期书法家的个性和艺术特色，真实再现了他们的书法艺术特征，以便给书法研究、鉴赏、收藏者和广大书法爱好者提供一种使用更为方便、检索。更为迅捷的书法资料，非常适合广大的书法喜爱者阅读、参考、学习。

图书在版编目(CIP)数据

汉·名家碑帖 / 姜克戈 主编. ——北京 : 北京燕山出版社，2011.5

(历代名家碑帖)

ISBN 978-7-5402-2653-4

Ⅰ. ①汉… Ⅱ. ①姜… Ⅲ. ①汉字—碑帖—中国—汉代 Ⅳ. ①J292.24

中国版本图书馆 CIP 数据核字（2011）第 087453 号

汉·名家碑帖

责任编辑	马明仁　满　懿
主　　编	姜克戈
装帧设计	戈一图书
出版发行	北京燕山出版社出版发行
社　　址	北京市宣武区陶然亭路 53 号
邮　　编	100054
印　　刷	北京市施园印刷厂
开　　本	850mm × 1280mm　1/16
字　　数	320 千字
印　　张	220
版　　次	2011 年 8 月第 1 版
印　　次	2011 年 8 月第 1 次印刷
定　　价	640.00 元 (全二十册)